Miséria da filosofia

Dados Internacionais de Catalogação na Publicação (CIP)
(Câmara Brasileira do Livro, SP, Brasil)

Marx, Karl, 1818-1883
  Miséria da filosofia : Resposta à *Filosofia da miséria* de Proudhon / Karl Marx ; tradução de Cláudio José do Valle Miranda. – Petrópolis, RJ : Vozes, 2019. – (Coleção Vozes de Bolso)

  Título original : Misère de la philosophie : Réponse à la *Philosophie de la misère* de Proudhon.
  ISBN 978-85-326-6182-1

  1. Economia – Filosofia 2. Proudhon, Pierre Joseph, 1809-1865. Sistema das contradições econômicas, ou, Filosofia da miséria I. Título. II. Série.

19-26938   CDD-330.01

Índices para catálogo sistemático:
1. Filosofia econômica   330.01

Cibele Maria Dias – Bibliotecária – CRB-8/9427

Karl Marx

Miséria da filosofia

Resposta à *Filosofia da miséria* de Proudhon

Tradução de Cláudio José do Valle Miranda

Vozes de Bolso

Título do original em francês: *Misère de la philosophie – Réponse à la* Philosophie de la misère *de Proudhon.*

Tradução realizada com base na versão digital produzida por Jean-Marie Tremblay a partir da edição de 1968 das *Éditions Sociales*, em colaboração com a biblioteca Paul-Émile-Boulet da Universidade do Québec em Chicouimi.

© desta tradução:
2019, Editora Vozes Ltda.
Rua Frei Luís, 100
25689-900 Petrópolis, RJ
www.vozes.com.br
Brasil

Todos os direitos reservados. Nenhuma parte desta obra poderá ser reproduzida ou transmitida por qualquer forma e/ou quaisquer meios (eletrônico ou mecânico, incluindo fotocópia e gravação) ou arquivada em qualquer sistema ou banco de dados sem permissão escrita da editora.

CONSELHO EDITORIAL

Diretor
Gilberto Gonçalves Garcia

Editores
Aline dos Santos Carneiro
Edrian Josué Pasini
Marilac Loraine Oleniki
Welder Lancieri Marchini

Conselheiros
Francisco Morás
Ludovico Garmus
Teobaldo Heidemann
Volney J. Berkenbrock

Secretário executivo
João Batista Kreuch

Editoração: Elaine Mayworm
Diagramação: Sheilandre Desenv. Gráfico
Revisão gráfica: Lindsay Viola
Capa: Ygor Moretti

ISBN 978-85-326-6182-1

Editado conforme o novo acordo ortográfico.

Este livro foi composto e impresso pela Editora Vozes Ltda.

Sumário

Introdução, 7

Prefácios de Friedrich Engels
para a 1ª edição alemã, 27
para a 2ª edição alemã, 46

Miséria da filosofia, 47

I Uma descoberta científica, 49

   1 Oposição entre o valor de uso e o valor de troca, 51

   2 Valor constituído ou valor sintético, 65

   3 Aplicação da lei das proporcionalidades do valor, 107

II A metafísica da economia política, 135

   1 O método, 137

   2 A divisão do trabalho e as máquinas, 164

   3 A concorrência e o monopólio, 185

   4 A propriedade ou a renda, 196

   5 As greves e as coligações operárias, 211

Anexos, 223

1 Proudhon julgado por K. Marx, 225

2 John Gray e os vales de trabalho, 236

3 Discurso sobre a questão do livre-comércio, 240

Índice dos principais nomes citados, 261

Notas, 265

Introdução[1]

Marx escreveu esta obra durante o inverno de 1946-1947, quando residia em Bruxelas. Ela é uma resposta ao estudo que Proudhon tinha publicado em outubro de 1946, com o título geral de *Contradições econômicas*, ou *Filosofia da miséria*. Como podemos observar na sua correspondência com Engels, Marx inicialmente concebeu sua resposta a Proudhon na forma de uma brochura; posteriormente, durante sua redação, essa brochura tornou-se um verdadeiro livro. Marx escrevia em francês; as dificuldades para sua edição foram grandes e, pela correspondência de Engels, pudemos conhecer certo número de incidentes que a acompanharam: dificuldades com o editor, dificuldades em conseguir resenhas nos jornais e revistas da época etc.

Proudhon que, nessa época, se fazia de muito importante, silenciou sobre a obra de Marx. Ele foi inteligente; Marx era ainda um desconhecido em Paris. (*O Jornal dos Economistas*, de agosto de 1946, o tomava por um sapateiro: "Sr. Marx é um sapateiro", escrevia). O silêncio de Proudhon era hábil, mas de uma habilidade de visão curta. Naquele momento, e depois, a história pronunciou seu veredito; numa carta datada de novembro de 1847, Engels relata uma conversa que ele teve com Louis Blanc:

> *Eu lhe havia escrito que vinha com um mandato formal da democracia londrina, bruxelense, renana e como agente dos cartistas... Eu, descrevendo a situação de nosso partido como muito brilhante, disse-lhe que você é nosso chefe: vocês podem considerar o Sr. Marx como o chefe de nosso partido, ou seja, da fração mais avançada da democracia alemã, e seu recente livro contra o Sr. Proudhon como nosso programa.*

Era Engels que tinha razão. No entanto, Proudhon, sem dúvida, ao mesmo tempo em que exteriormente silenciava sobre a obra de Marx, privadamente fazia anotações com muito zelo.

Miséria da filosofia é no conjunto da obra de Marx uma etapa de grande importância, é uma obra ao mesmo tempo de transição e de maturidade. Ela constitui para ele a primeira síntese entre uma filosofia metódica e uma economia política ao mesmo tempo objetiva e concreta. Até aquele momento, Marx tinha a tendência de tratar essas duas disciplinas de forma separada; tratava-se para ele de desenvolvê-las. A experiência mais geral que ele adquiriu depois de sua saída da Alemanha, em Paris e em Bruxelas, sua participação na organização do movimento operário em Paris, e, além disso, suas primeiras ligações operárias internacionais, e também, sem dúvida, a reflexão sobre os erros de Proudhon, lhe permitem, pela primeira vez, escrever uma obra na qual a explicação marxista apreende a realidade de forma mais completa e se revela decisiva e total, porque, pela primeira vez, ela não adia para mais tarde o esclarecimento de outros aspectos. O método marxista se revela; ele pode começar a ser aplicado na realidade, na luta real assim como na explicação da vida real.

Esta obra apresenta cada vez mais um interesse particular para nós franceses. É propriamente uma obra que nos diz respeito; e o fato de ela ter sido escrita em nossa língua simboliza sua importância para o movimento francês. De fato, sob o nome permanente de proudhonismo, nos foi tirada a doutrina que, depois de um século, serviu de biombo e de orientação para tudo aquilo que desviava o movimento operário revolucionário em direção à aventura sem resultado e para a negação de si. Proudhonianos, aqueles que participaram como delegados franceses na criação da Primeira Internacional (com a complacência de Napoleão III), mas que, com Toulain à frente, ficaram depois de fora da Comuna. Proudhonianos, aqueles que, na Comuna, impediram de tomar as decisões imediatas que poderiam consolidar o movimento. Proudhonianos, consequentemente, aqueles que, na mesma época, queriam dar à "Ação Francesa" uma teoria operária. Proudhoniano desde sempre, Lagardelle[2], conselheiro de Mussolini e ministro do Trabalho de Pétain. Proudhonianos, os redatores da Carta do Trabalho. Proudhonianos, os jornais "obreiristas" da ocupação hitlerista. O signatário de Munique, em suas declarações no congresso radical da primavera de 1946, não se declarou, ele também, proudhoniano?

Os defensores de Proudhon afirmam que ele não é responsável por aqueles que se reivindicam dele. Mas, seja como for, se eles se reivindicam dele em sua luta contra as organizações operárias, é precisamente porque Proudhon lhes deu os meios para fazer isso.

É de importância fundamental, para o movimento francês, esta obra de Marx. Depois de mais de cem anos, ela constitui ainda a melhor defesa teórica contra a confusão proudhoniana; e o estudo das relações entre Proudhon e Marx constitui sempre uma experiência, ao mesmo tempo histórica e pessoal, de onde se pode tirar o maior proveito.

***

Em uma carta, publicada em 24 de janeiro de 1865, pelo *Sozial-Demokrat*, que será encontrada no apêndice, Marx relata seus primeiros contatos com Proudhon. Foi em Paris em 1844 e, disse Marx que,

> *até certo ponto, eu sou o responsável pela sua "sophistication", palavra empregada pelos ingleses para designar a falsificação de uma mercadoria. Em nossas longas discussões, muitas vezes prolongadas por toda a noite, eu lhe injetava hegelianismo.*

Proudhon se manifestou várias vezes sobre Hegel; e, examinando as datas, pode-se medir qual foi a influência sobre ele dessas conversações com Marx. Antes de ter tido por meio de Marx o contato com a dialética hegeliana, ele escrevia:

> *Eu não me deixo enganar pela metafísica e pelas fórmulas de Hegel... Para mim, meu caro, isso é puerilidade, não é ciência (Carta de 23 de maio de 1842).*

Em 20 de dezembro de 1843, ao enviar sua *Criação da ordem na humanidade* para o mesmo correspondente, ele lhe afirma:

> *Você encontrará neste volume toda uma metafísica bem mais simples, clara e fecunda, do que aquela dos seus alemães.*

E a própria obra revela uma ignorância bem excepcional da doutrina de Hegel.

Mas, em 1844, depois do encontro com Marx, Proudhon muda completamente de opinião. Em uma carta de 4 de outubro para o mesmo correspondente, ele se indigna do atraso " em que se encontra o público francês relativamente aos estudos filosóficos" e ele doravante se atribui a tarefa de "popularizar a metafísica". "Para tanto", acrescenta ele, "eu emprego uma dialética mais profunda do que a de Hegel". Em 19 de janeiro de 1845, em uma carta a Bergmann, ele apresenta a obra que preparara e que deveria ser respondida por Marx:

> *Eu espero, finalmente, ensinar ao público francês o que é a dialética... Depois dos novos conhecimentos que adquiri neste inverno, eu fui muito bem compreendido por um grande número de alemães que admiraram o trabalho que fiz para chegar sozinho àquilo que eles pretendiam existir somente entre eles. Eu ainda não posso avaliar o parentesco que existe entre a minha metafísica e a lógica de Hegel, porque nunca li Hegel; mas eu estou persuadido que é sua lógica que pretendo empregar na minha próxima obra; ora, esta lógica não é mais do que um caso particular ou, se você preferir, é um caso bem mais simples que o meu.*

Dois meses depois da publicação de sua *Filosofia da miséria*, em 13 de dezembro de 1846, Proudhon manifesta sempre a mesma opinião:

> *A lógica de Hegel, tal como a compreendo, satisfaz infinitamente mais a minha razão do que todos os velhos ditados os quais nos acumularam para podermos explicar certos acidentes da razão e da sociedade.*

Mas, desde junho de 1847, data na qual publica sua resposta, Proudhon faz, a propósito de sua obra, uma primeira ressalva:

> *Eu fiz uma crítica, nada mais; uma crítica metódica, certamente, e que contém todos os elementos de minha síntese, embora essa síntese não se revele (Carta de 4 de junho de 1847).*

E, se continuamos com sua correspondência dessa mesma época em que ele fala de tal síntese, podemos perceber que ele ainda está longe de consegui-la: a síntese hegeliana é para Proudhon "a reconciliação universal pela contradição universal" (Carta de 7 de novembro de 1846), e:

> *Para quem me compreendeu, não haverá mais lugar para aceitar opinião exclusiva, isso seria ridículo (Carta de 24 de outubro de 1844).*

Para ele, a síntese é uma conciliação, uma forma de conservar, de reconciliar, sem nenhuma exclusão, todas as supostas antinomias.

Mais tarde, ele rejeitará pura e simplesmente a síntese hegeliana:

> *A fórmula hegeliana só é uma tríade por um capricho ou erro do mestre, que contabiliza três termos onde só verdadeiramente existem dois, e que a antinomia não tem resolução, mas apenas indica uma oscilação, ou um antagonismo suscetível unicamente de equilíbrio.*

E, voltando para sua *Filosofia da miséria*, ele especifica:

> *A exemplo de Hegel, eu havia adotado a ideia de que a antinomia deveria se resolver em um termo superior, a síntese, distinto dos dois primeiros, a tese e a antítese; erro de lógica tanto quanto*

*de experiência, do qual eu atualmente
retornei. A antinomia não tem resolução;
esse é o vício fundamental de toda a
filosofia hegeliana. Os dois termos que a
compõem se equilibram... Um equilíbrio
não é uma síntese, assim entendia Hegel
e assim eu igualmente havia suposto a
partir dele.*

Proudhon, de qualquer forma, tentava, faz muito tempo, encontrar o termo que descreveria esta operação toda particular:

*Para que o poder social agisse em sua
plenitude, seria preciso que as forças em
função da qual ele se compõe estivessem em
equilíbrio... Esse equilíbrio deve resultar
do balanceamento das forças, agindo umas
sobre as outras com toda liberdade e se
fazendo mutuamente equação.*

Equação que já se encontrava na *Filosofia da miséria*; Proudhon queria fazer a "equação geral de todas nossas contradições". Equilíbrio e contrapeso já eram encontrados em *A criação da ordem* em 1843. Em 1849, Proudhon opta em transformar a contradição hegeliana em equilíbrio do dever e do ter; além disso, ele propõe a noção de "*mutuum*"; as forças sociais em presença, em balanço, em equilíbrio, ficam assim em estado de ajuda mútua. Ademais, ainda em 1858, ele fará da síntese uma média entre os termos contraditórios, apresentados como um máximo e um mínimo.

Ele vê aquilo que procura: substituir a dialética hegeliana que elimina as contradições, onde a antítese é a negação da tese e a síntese é a negação da negação, por um sistema conformista onde, como diz Marx, a contradição se eterniza e chega a um equilíbrio, a um *modus vivendi* perfeitamente aceitável, a um estado de igualdade e de apoio mútuo.

O segundo professor de hegelianismo de Proudhon, Grün, que continua as lições depois que Marx foi expulso da França, podia bem escrever:

> *Esta verdade colossal [do hegelianismo], onde mil crânios franceses encontraram seu Waterloo... esta verdade foi plenamente apreendida por Proudhon.*

A visão de Marx era totalmente diferente. Em sua carta de 1865 ao jornal *Sozial-Demokrat*, ele escreveu:

> *A natureza de Proudhon o conduzia para a dialética. Mas, nunca tendo compreendido a dialética científica, ele não vai além do sofismo. Com efeito, isso decorre de seu ponto de vista pequeno-burguês. O pequeno-burguês fala sempre: de um lado temos isso, do outro lado temos aquilo... ele é a contradição viva: ele é, na melhor das hipóteses, um homem sagaz, ele saberá bem fazer malabarismos com suas próprias contradições e as elaborar segundo as circunstâncias em paradoxos impressionantes, espalhafatosos, às vezes brilhantes. Charlatanismo científico e conciliações políticas são inseparáveis desse ponto de vista.*

É por isso que Marx podia, como fez no *Manifesto comunista*, classificar Proudhon na categoria de socialismo conservador ou burguês:

> *Os socialistas burgueses querem as condições da sociedade moderna sem as lutas e os perigos que dela resultam necessariamente; eles querem a sociedade atual sem os elementos que a revolucionam e a desagregam. Eles querem a burguesia sem o proletariado.*

E, misturados em uma farinha "menos sistemática e mais prática", eles se esforçam em

> *afastar a classe operária de todo*
> *movimento revolucionário, mostrando-lhes*
> *que aquilo que os pode beneficiar não é tal*
> *ou qual mudança política, mas unicamente*
> *uma modificação das condições materiais*
> *de existência, das condições econômicas.*
> *Mas, por modificação das condições*
> *materiais de existência, este socialismo*
> *não inclui a abolição das condições*
> *burguesas de produção, abolição essa que*
> *só é realizável pela via revolucionária, mas*
> *sim a partir de reformas administrativas*
> *que se realizam no quadro dessas condições*
> *de produção, que então não modificam em*
> *nada a relação entre capital e trabalho*
> *assalariado, porém, na melhor das*
> *hipóteses, diminuem para a burguesia as*
> *despesas governamentais e simplificam*
> *a gestão econômica.*

Os inimigos de Marx ficaram orgulhosamente comovidos com essa "contradição": Marx classifica Proudhon entre os pequenos-burgueses e o socialismo de Proudhon na categoria burguesa ou conservadora!

> *Como escreveu Charles Andler, aquele que*
> *Marx trata como um pequeno-burguês é*
> *posicionado entre os defensores do grande*
> *capitalismo?*

Mas ele se vê obrigado a falar logo em seguida

> *desta transformação singular pela qual*
> *a dedução do capitalismo [em Proudhon]*
> *tornou-se uma apologia dos capitalistas.*

E, inclusive, de lembrar sobre este assunto, a frase de Marx no prefácio do *18 Brumário*, mostrando a propósito de Proudhon como sua "construção histórica do golpe de Estado se transforma em apologia de Bonaparte".

Não existe segredo no fato de que Proudhon, pequeno-burguês, propõe um socialismo burguês ou conservador. E se havia um segredo, ele residia na vontade de não compreender aquilo que existe por detrás da pseudodialética de Proudhon. De frente à contradição burguesia/proletariado, Marx opta pela solução revolucionária: a síntese dialética, aquela onde os termos contraditórios se explicam e, após a negação da negação, são substituídos pela sociedade coletivista e sem classe. O pequeno-burguês Proudhon opta pelo equilíbrio, o apoio mútuo dos termos antagônicos: não existe a impossibilidade da burguesia, mas sim um equilíbrio obtido pela colaboração de classe. É por isso que existe em sua dialética um bom e um mau lado: o lado mau é o lado revolucionário. O equilíbrio será assegurado persuadindo o proletariado de que não existe movimento revolucionário nem abolição das condições burguesas de produção. Conduzir a classe operária a renunciar a suas tarefas revolucionárias é manter o equilíbrio pela supressão do lado mau.

***

Além disso, Marx e Engels haviam verificado, desde 1846, praticamente a oposição absoluta que se revelava entre a posição proudhoniana e a ação revolucionária. Todos os dois se encontravam em pleno trabalho de organização, um em Paris e o outro em Bruxelas. Eles se esforçavam em organizar, em torno de uma doutrina útil, todos os grupos que, desde 1845, tinham levado uma existência aventureira e secreta. Em todos esses grupos, os melhores membros sentiam de uma só vez quais os erros políticos que foram cometidos e qual a situação política nova que se desenhava, aquela que deverá resultar em 1848. Marx e Engels consideravam como necessários um trabalho de depuração do partido, de eliminação de todo sentimentalismo, da liquidação de todas as pseudodoutrinas que desarmavam a vanguarda operária da ação que ela deveria levar. Sua atitude firme e justa deveria desembocar na primavera de 1847 quando, tendo terminado o trabalho doutrinal e prático de depuração, eles puderam aceitar a proposição de um congresso que se ocuparia da reorganização política em torno de uma doutrina de ação prática. Esse congresso deveria acontecer durante o verão de 1847. Marx e Engels foram encarregados de redigir o manifesto do Partido.

Durante esse trabalho de reorganização, Marx havia escrito de Bruxelas a fim de pedir a Proudhon para fazer parte de um escritório internacional de informações:

> *No momento da ação, escreveu ele, é sem dúvida de grande interesse para cada um ser informado do estado das coisas, tanto no estrangeiro como em casa.*

Proudhon lhe respondeu de Lyon em 17 de maio de 1846: ele aceitava, dizia ele, se tornar um dos responsáveis "da vossa correspondência". Mas ele fazia imediatamente algumas ressalvas capitais:

> *Eu não vos prometo lhe escrever nem muito nem constantemente; minhas ocupações cotidianas, acrescidas de uma preguiça natural, não me permitem esses esforços epistolares. Eu também tomei a liberdade de fazer algumas ressalvas que me foram sugeridas por diversas passagens de vossa carta.*

Vejamos em que consistiam essas reservas:

> *1) Embora minhas ideias relativas a organização e realização*

*estejam, neste momento, paradas, ao menos
no que diz respeito aos princípios, eu creio
que é meu dever, dever de todo socialista,
conservar por algum tempo ainda a
forma antiga e dubitativa, em uma
palavra, eu professo com o público de um
antidogmatismo econômico quase absoluto.
2) Procuremos juntos, se você quiser,
as leis da sociedade, o modo pelo qual
estas leis se realizam, o progresso pelo qual
nós conseguiremos as descobrir, mas, por
Deus!, depois de termos demolido todos os
dogmatismos a priori, não nos arvoremos
em doutrinar o povo... não vamos impor
ao gênero humano uma nova tarefa por
meio de novas confusões... O fato de
estarmos no comando do movimento não
nos deve autorizar nos tornarmos chefes de
uma nova intolerância... Vamos acolher
e encorajar todas as contestações... Não
consideremos nunca uma questão como
esgotada, e mesmo depois de usarmos nosso
último argumento, recomecemos, se for
o caso, com eloquência e ironia. Nessas
condições eu entrarei com prazer em vossa
associação, senão, não me interessa.*

Vejamos agora a ressalva mais grave:

*3) Eu também gostaria de lhe fazer
algumas observações sobre esta expressão
de sua carta: no momento da ação. Talvez
você ainda conserve a opinião de que
nenhuma reforma é atualmente possível
sem uma ajudazinha, sem aquilo que se
costuma chamar de uma revolução, que
não é mais do que uma agitação. Esta
opinião conforme a concebo, me desculpe,
eu a discutirei de bom grado, tendo eu
mesmo a compartilhado, confesso que meus
últimos estudos me fizeram a abandonar
completamente. Eu acredito que não
precisamos disso para ter sucesso; e que,*

> *consequentemente, não devemos de forma alguma colocar a ação revolucionária como meio de reforma social, porque este pretenso meio não será mais do que um apelo à força, ao arbítrio, em resumo, uma contradição. Eu coloco assim o problema: introduzir na sociedade, por uma combinação econômica, as riquezas que saíram da sociedade por meio de outra combinação econômica. Mas eu acredito ter encontrado o meio rápido para resolver este problema.*

Proudhon acrescentava:

> *Minha próxima obra, que neste momento está na metade de sua impressão, lhe dirá mais.*

Proudhon anunciava assim sua *Filosofia da miséria*.

Marx havia então recebido, da própria mão do Agitador, a confissão de que as utopias reformistas em matéria econômica, que Proudhon havia de propor, eram feitas para negar o alcance "da ação revolucionária como meio de reforma social". Era então suficiente mostrar, como o fez na *Miséria da filosofia*, que os projetos econômicos de Proudhon eram propriamente utópicos. E ele o faz sem dificuldade, com maestria. Proudhon, no final de sua carta, acrescentava:

> *Se não me enganar, e se for o caso, receber uma palmatória de sua mão, eu me submeterei de bom grado, mas com uma réplica de minha parte!*

A palmatória lhe foi aplicada. Mas de tal forma, que ele preferirá se calar a aplicar sua réplica.

***

Quanto a Engels que, na mesma época, continuava em Paris o trabalho metódico de organização revolucionária que Marx havia começado antes de sua expulsão, pôde também verificar a quem servia o proudhonismo: ele via todos os liquidadores do movimento e da organização se refugiarem junto a Proudhon, no momento onde as necessidades mais evidentes tornaram insustentável sua posição; em 19 de setembro de 1846, ele escrevia ao comitê de Bruxelas:

> Em sua nova obra, ainda em estado de manuscrito, do qual Grün se fez de intérprete, Proudhon expõe seu plano genial de fazer dinheiro do nada e de levar o paraíso ao alcance de todos os operários. Até o momento ninguém ainda entendeu como isso se daria. Grün se mostrou bem reservado, mas fazendo grande alarde de sua pedra filosofal. A expectativa era geral: enfim o papa Eisermann se encontrou com os carpinteiros ao mesmo tempo em que eu, e pouco a pouco, o velho bonito começou a desempacotar muito ingenuamente todo o segredo. Sr. Grün lhe confiou todo o plano. Admiremos, então, a grandiosidade deste projeto destinado a emancipar o mundo: trata-se nada mais nada menos de bazares operários ou mercados operários criados já faz tempo na Inglaterra e dez vezes arruinados: associação de todos os operários de todos os ramos, grande depósito, todas as obras fornecidas pelos associados taxadas exatamente a partir do preço do produto bruto, acrescido do trabalho, e pagos por meio de outros produtos da associação, igualmente taxados. Tudo aquilo que não for incluído nas necessidades da associação será vendido no mercado mundial e o dinheiro, revertido para os produtores. Desta forma,

*especula o maligno Proudhon, ele e seus
associados evitam o lucro do intermediário.
Mas, ao mesmo tempo, ele evita o
lucro sobre o capital de sua associação;
que este capital e este lucro devem ser
exatamente iguais ao capital e ao lucro dos
intermediários eliminados, então, o que
ele dá com a mão direita ele retira com a
mão esquerda, tudo isso nosso companheiro
inteligente não imaginou. Que os operários
jamais conseguirão reunir o capital
necessário, pois, se o conseguissem, eles
poderiam se estabelecer por conta própria;
que a economia eventual, resultado
da associação, se encontra mais que
contrabalançada pelo risco enorme que
toda esta combinação leva, por um passe
de mágica, a fazer desaparecer o lucro do
mundo atual e a deixar subsistir todos os
produtores com esse lucro; que tudo isso
não é mais do que um idílio que exclui
benefícios primeiramente de toda grande
indústria, de todo trabalho de construção,
de toda agricultura etc.; que estes corpos
de profissionais terão que suportar as
perdas dos burgueses mas sem participar
de seus lucros; tudo isso e mais cem outras
objeções que saltam aos olhos, ele as esquece
na embriaguez de sua ilusão plausível...
Proudhon se tornará para sempre ridículo,
com todos os socialistas e comunistas
franceses se ele publicar este trabalho. Daí
as sua lágrimas, esta polêmica contra a
revolução: ele tinha, de fato, um remédio
pacífico!*

O livro de Proudhon trabalhava, portanto, contra uma organização operária militante antes mesmo de ser editado.

***

É indispensável traçar rapidamente a série de julgamentos que Proudhon produziu sobre as diferentes intervenções históricas da classe operária. Verifica-se assim quanto o prognóstico desenvolvido por Marx contra Proudhon era perfeitamente objetivo.

Em 1847, Proudhon, prevendo o amadurecimento dos acontecimentos, desejava ter uma tribuna. Encontramos em seus diários íntimos a seguinte nota:

> *Esforçar em me entender com O Monitor Industrial, jornal dos senhores, enquanto que O Povo será o jornal dos operários.*

No começo de 1848, Guizot suspende os cursos de Michelet, assim como já tinha suspenso os cursos de Mickiewicz e de Quinet. Proudhon se felicita por terem silenciado esses "embalsamadores tolos" e, quando os estudantes protestaram, ele assinalava:

> *Quando é que vão colocar na caserna esta juventude debochada e turbulenta? Coragem, Guizot!*

A ascensão revolucionária de fevereiro de 1848 lhe inspira esta única observação:

> *A desordem e o escândalo aumentam. A França está perdida se não demite sua oposição.*

Em um artigo de jornal de 19 de fevereiro de 1849, Proudhon já tinha descrito sua "ansiedade devoradora" frente aos acontecimentos:

> *Eu me revoltei contra a marcha dos acontecimentos... Minha alma estava em agonia. Eu carregava antecipadamente o peso das dores da República e o fardo das calúnias que iriam se abater sobre o socialismo. Na noite de 21 de fevereiro eu ainda exortava meus amigos a não combaterem.*

Ele acrescenta que o tiroteio do dia 23 "mudou suas disposições em um instante". Ele deixa isso bem claro. Infelizmente isso não é exato, porque no dia 24 de fevereiro ele anotou em seus diários íntimos:

> *A confusão está cada vez mais inextrincável... Eu não tenho nada a fazer aí... Isso vai ficar medonho...*

Depois ele escreveu no dia 25:

> *Meu corpo está no meio do povo, mas meu pensamento está alhures. Pelo desenvolvimento de minhas ideias eu cheguei ao ponto de não ter mais nenhuma comunhão de ideias com meus contemporâneos.*

No dia 26 de setembro de 1848 ele fizera uma visita a Louis Napoleon e o encontrara "bem intencionado: cabeça e coração cavalheirescos". A indiferença em matéria de política o levou a escrever algumas semanas depois do golpe de Estado: "Em nenhum lugar da Terra, o espírito que todo homem tem está tão livre quanto em ti" (ele se referia a França). E ainda:

> *Louis Napoleon é, assim como seu tio, um ditador revolucionário, mas com a diferença de que o primeiro cônsul veio fechar a primeira fase da revolução, enquanto que o presidente veio abrir a segunda.*

No dia 12 de janeiro de 1853, ele solicitou ao príncipe Napoleon uma intervenção para a concessão do caminho de ferro de Besançon até Mulhouse. Se a concessão fosse obtida, ele confessa que encontraria a ocasião de fazer um estudo sobre o seguinte tema: "satisfazer as justas exigências do proletariado sem prejudicar os direitos adquiridos pela classe burguesa". Essa fórmula lhe foi sugerida pelo príncipe durante um encontro, como que respondendo exatamente aos desejos do imperador. Nessas condições, importa muito pouco que ele tenha escrito, ao mesmo tempo, em seus diários íntimos, que Louis Napoleon era

> *um aventureiro infame, bastardo de uma princesa, debochado, crápula... destruidor das liberdades públicas, usurpador do poder, ladrão do tesouro, mistificador do povo.*

Na mesma data, como ele mesmo disse em uma carta,

> *eu estive nas Tulheries, no Senado e na Prefeitura, para ver alguns conhecidos que tenho entre os amigos de Louis Napoleon (10 de novembro de 1852).*

Pouco importa que ele tenha sido condenado à prisão por causa de sua obra sobre a Justiça na revolução e na Igreja, prisão que ele não cumpriu, pois foi perdoado dois anos depois; obra essa que ele apresentou ao Príncipe Napoleon como a explicação de um princípio novo: "A encarnação do direito humano em uma família eleita ou do pensamento racional da Revolução". Quanto à sua real atitude em relação ao proletariado, "eu preguei a conciliação das classes, símbolo da síntese das doutrinas" (Carta de 18 de maio de 1850); "apoiado sobre reconciliação das classes" (instruções para a redação da *Voz do Povo*), ela está presente tanto em sua correspondência quanto em seus cadernos:

> *Eu estou farto da multidão vil e dos demagogos... a classe mais pobre, e por isso mesmo que ela é a mais pobre, é a mais ingrata, a mais invejosa, a mais imoral e a mais covarde (Carta de 26 de abril de 1852). Aquilo que existe de mais atrasado, de mais retrógrado, em todos os países, é a massa, é aquilo que vocês chamam de democracia.*

Ele vai até mesmo criticar o governo de Napoleon III de "apoiar secretamente os operários contra os patrões" (16 de maio de 1853); ele definirá as tendências do governo na seguinte fórmula:

> *Se nós pudermos fundar uma nova hierarquia social aceitando os padres, os burgueses etc., jogaremos a burguesia como alimento para a plebe (27 de novembro de 1853).*

Nós julgamos útil recordar esses fatos. Não estamos fazendo nenhuma interpretação: deixamos Proudhon testemunhar estritamente sobre ele mesmo. Não se trata aqui de desconsiderar o homem, mas de mostrar exatamente onde ele se situa, e de dissipar a lenda segundo a qual aqueles que posteriormente se inspiraram nele contra o desenvolvimento normal do movimento operário não compartilharam da responsabilidade de seu mestre. De fato, isso aparece na correspondência e no caderno íntimo de Proudhon, o que o aproxima muito de todos os que se inspiraram nele.

Em sua carta de 1865 ao jornal *Sozial-Demokrat*, Marx recordava seu julgamento de 1847 que resumia tudo que em sua *Filosofia da miséria* Proudhon revela de si mesmo:

> *Ele quer flutuar como homem de ciência por cima dos burgueses e dos proletários; ele não é mais do que um pequeno-burguês dividido constantemente entre o Capital e o Trabalho.*

E Marx comentava assim seu julgamento de 1847:

> *Por mais duro que possa parecer este julgamento, eu sou obrigado a mantê-lo ainda hoje, e palavra por palavra. Mas o que importa é não*

*esquecer que no momento em que
eu declarava e provava teoricamente
que o livro de Proudhon não era
mais do que o código do socialismo
pequeno-burguês, este mesmo Proudhon era
anatematizado como arquirrevolucionário
tanto pelos economistas como pelos
socialistas de então. É por isso que eu,
mais tarde, jamais misturei minha voz
com aqueles que lançavam altos gritos a
respeito de sua "traição" à revolução.
Não foi sua culpa se ele, mal compreendido
desde o começo tanto pelos outros como por
ele mesmo, não correspondeu às esperanças
nunca justificadas.*

Henri Mougin

Prefácios de Friedrich Engels

Para a 1ª edição alemã

A presente obra foi redigida durante o inverno de 1846-1847, no momento em que Marx iniciava a elaboração dos princípios de sua nova concepção histórica e econômica. *O sistema das contradições econômicas* ou *Filosofia da miséria*, de Proudhon, que acabava de ser publicado, lhe dá a oportunidade de desenvolver seus princípios opondo-os às ideias do homem que, desde então, deveria tomar um lugar preponderante entre os socialistas franceses da época. Desde o tempo em que os dois em Paris tinham longamente discutido juntos as questões econômicas, muitas vezes durante noites inteiras, suas direções foram se afastando cada vez mais; ficar em silêncio não era possível. Marx constata esta ruptura irreparável na resposta que ele lhe deu.

O juízo geral de Marx sobre Proudhon se encontra expresso no artigo que é reproduzido no apêndice e que apareceu pela primeira vez no jornal *Sozial-Demokrat* de Berlim, n. 16, 17 e 18. Esse foi o único artigo escrito por Marx nesta folha. As tentativas do Sr. Von Schweitzer em conduzir o jornal para as águas governamentais e feudais se tornaram imediatamente manifestas; isso nos forçou a retirar publicamente nossa colaboração ao fim de poucas semanas.

A presente obra tem para a Alemanha agora uma importância que Marx jamais tinha previsto. Como ele poderia saber que, atacando Proudhon, igualmente atingia o ídolo dos arrivistas de hoje, Rodbertus, que ele não conhecia nem mesmo de nome?

Não é o caso aqui de se estender sobre a relação entre Marx e Rodbertus; em breve eu terei a oportunidade de fazê-lo. É suficiente dizer aqui que quando Rodbertus acusa Marx de tê-lo "pilhado" e de "ter em seu *O capital* tirado bastante vantagem sem o citar" em sua obra: *Zur Erkenntnis...*, ele se deixa envolver em uma calúnia que só é explicável por um mau humor natural de um gênio desconhecido e de notável ignorância das coisas que se produziam fora da Prússia, especialmente da literatura econômica e socialista. Essas acusações, além da obra de Rodbertus já citada, jamais foram conhecidas por Marx; sobre Rodbertus ele só conhecia os três *Sozialen Briefe* e, mesmo estes, nunca antes de 1858 ou 1859.

É bem fundamentado que Rodbertus, nessas cartas, pretende ter descoberto "o valor constituído de Proudhon" bem antes de Proudhon. Mas ele se ilude acreditando equivocadamente tê-lo descoberto primeiro. Em todo caso, nossa obra o critica juntamente com Proudhon, e isso obriga a me estender um pouco sobre seu opúsculo "fundamental": *Zur Erkenntniss unserer staatswirtschaftlichen Zustaende*, de 1842, ao menos na medida onde este, além do comunismo à maneira de Weitling que ele também inclui, antecipa inconscientemente Proudhon.

Como o socialismo moderno, qualquer que seja sua tendência, procede da economia política burguesa, ele se vincula quase que exclusivamente à teoria do valor de Ricardo. As duas proposições que Ricardo, em 1817, coloca no começo de seus princípios são: 1º) que o valor de cada mercadoria é somente e unicamente determinado pela quantidade de trabalho exigido para sua produção; e 2º) que o produto da totalidade do trabalho social é dividido entre as três classes, os proprietários fundiários (renda), os capitalistas (lucro) e os trabalhadores (salário). Essas duas proposições já tinham, desde 1831, na Inglaterra, dado fundamento para conclusões socialistas. Elas haviam sido deduzidas tanto em profundidade quanto em clareza que esta literatura, então quase desaparecida e que Marx havia em grande parte descoberto, só pode ser ultrapassada com a aparição do *Capital*. Nós voltaremos a falar disso em outro momento. Quando Rodbertus, em 1842, de seu lado tirava conclusões socialistas das proposições acima citadas, era certamente para um alemão um passo importante, mas isso só era uma descoberta para a Alemanha. Marx demonstra a pouca novidade de uma tal aplicação da teoria de Ricardo em Proudhon, que sofria de uma imaginação semelhante.

> *Qualquer um que esteja um pouco familiarizado com o movimento da economia política na Inglaterra não deixa de saber que quase todos os socialistas deste país, em diferentes épocas, propuseram uma aplicação igualitária [ou seja, socialista] da teoria ricardiana. Nós podemos citar para o Sr. Proudhon a Economie politique de Hodgskins, 1822; An Inquiri into the Principles of the Distribution of Wealth most conducive to human Happiness de Willian Thompson, 1824; Pratical, Moral*

and Political Economy de T.R Edmonds, 1828 etc. etc. e mais quatro páginas de etc. Contentaremo-nos em deixar falar um comunista inglês – Sr. Bray. Nós citaremos as passagens decisivas de sua obra remarcável: Labour's Wrongs and Labour's Remedy (Leeds, 1839).

E as únicas citações de Bray eliminam, em grande parte, a prioridade reivindicada por Rodbertus.

Naquela época, Marx ainda não frequentava a sala de leitura do British Museum. Além das bibliotecas de Paris e de Bruxelas, além dos meus livros e trechos que ele leu durante uma viagem de seis semanas que fizemos juntos pela Inglaterra no verão de 1845, ele só tinha examinado os livros que ele pôde obter em Manchester. A literatura da qual nós falamos não era ainda tão inacessível quanto atualmente. Se, apesar disso, ela continuou desconhecida por Rodbertus, isso se deu exclusivamente por ele ser um prussiano limitado. Ele é o verdadeiro fundador do socialismo especificamente prussiano, e assim foi finalmente reconhecido.

Contudo, mesmo em sua Prússia bem-amada, Rodbertus não conseguiu ficar protegido. Em 1859 apareceu em Berlim o primeiro livro da *Crítica da economia política* de Marx. Podemos encontrar, entre as objeções levantadas pelos economistas contra Ricardo, a segunda objeção na p. 40[3]:

> *Se o valor de troca de um produto é igual ao tempo de trabalho que ele contém, o valor de troca de um dia de trabalho é igual ao produto de um dia de trabalho. Ou ainda, é preciso que o salário do trabalhador seja igual ao produto do trabalho. Ora, é o contrário que acontece.*

Em uma nota:

> *Esta objeção feita a Ricardo pelos economistas burgueses foi mais tarde retomada pelos socialistas. Estando admitida a exatidão teórica da fórmula, se censura a prática de estar em contradição com a teoria e impede-se a sociedade burguesa de obter praticamente a consequência presumida de seu princípio teórico. Foi desta maneira que os socialistas ingleses usaram contra a economia política a fórmula do valor de troca de Ricardo.*

Referimo-nos a esta nota da *Miséria da filosofia* de Marx, que então estava em todas as livrarias.

Era então muito fácil para Rodbertus se convencer da novidade real de suas descobertas de 1842. Mas, ao invés disso, ele não para de proclamá-las e as crê de tal forma incomparáveis, que não lhe passa uma vez em sua mente que Marx podia muito bem retirar sozinho suas conclusões de Ricardo tão bem quanto o próprio Rodbertus. Isso era impossível. Marx o havia "pilhado" – a ele, a quem o mesmo Marx oferecia todas as facilidades de se convencer de que, já há muito tempo antes deles, essas conclusões, pelo menos sob a forma grosseira que elas ainda tinham com Rodbertus, já tinham sido enunciadas na Inglaterra.

A aplicação socialista mais simples da teoria de Ricardo é esta que apresentamos aqui. Em muitos casos, ela conduz a visões sobre a origem e sobre a natureza da mais-valia que ultrapassam em muito a Ricardo. Também é assim com Rodbertus. Além disso, nessa ordem de ideias, ele não apresenta nada que já não tenha sido mais bem dito antes dele, sua exposição ainda tem os mesmos defeitos daquelas de seus predecessores: ele aceita as categorias econômicas de trabalho, capital, valor, na forma bruta em que elas foram transmitidas pelos economistas, forma essa ligada à sua aparência, sem procurar pelo conteúdo. Ele assim se interdita não somente de todo meio de lhes desenvolver mais completamente – contrariamente ao que fez Marx que, pela primeira vez, fez alguma coisa dessas proposições frequentemente reproduzidas depois de 64 anos –, mas ele toma o caminho que leva diretamente à utopia, conforme será demonstrado.

A aplicação precedente da teoria de Ricardo, que mostra aos trabalhadores que a totalidade da produção social, que é produzida por eles, lhes pertence porque eles são os únicos produtores reais, conduz diretamente ao comunismo. Mas ela também, conforme Marx permite compreender, é formalmente falsa, economicamente falando, porque tal teoria é simplesmente uma aplicação da moral na economia. Segundo as leis da economia burguesa, a maior parte da produção não pertence aos trabalhadores que a criaram. Se nós então falarmos: isto é injusto, não deveria ser assim, isso não tem nada a ver com economia. Nós apenas diremos que este fato econômico está em contradição com nosso sentimento moral. É por isso que Marx jamais fundamentou por aí suas reivindicações comunistas, mas sim sobre a inevitável ruína, que fica evidente sob nossos olhos, todos os dias e cada vez mais, do modo de produção capitalista. Ele se satisfaz em dizer que a mais-valia se compõe de trabalho não pago: isso é um fato puro e simples. Mas aquilo que pode ser formalmente falso do ponto de vista econômico, pode ainda ser exato do ponto de vista da história universal. Se o sentimento moral da massa observa um fato econômico – outrora a escravidão ou a servidão –, como injusto, isso prova que este fato mesmo é uma sobrevivência; e que outros fatos econômicos são produzidos graças aos quais o primeiro se tornou insuportável, insustentável. Portanto, por trás de uma inexatidão econômica formal pode se esconder um conteúdo econômico muito real. Será deslocado se estender mais aqui sobre a importância e sobre a história da mais-valia.

É possível ainda tiramos outras consequências da teoria do valor de Ricardo e isso será feito. O valor das mercadorias é determinado pelo trabalho necessário para sua produção. Ora, acontece que neste mundo mau as mercadorias são compradas tanto acima como abaixo de seu valor e sem que haja aí relação com as variações da concorrência. Da mesma forma que a taxa de lucro tem uma forte tendência a se manter no mesmo nível para todos os capitalistas, os preços das mercadorias tendem também a se reduzir ao valor do trabalho por intermédio da oferta e da procura. Mas a taxa de lucro se calcula pelo capital total empregado em uma exploração industrial; ora, como em dois ramos de indústrias diferentes a produção anual pode incorporar massas de trabalho iguais, ou seja, apresentar valores iguais, e que, se o salário pode ser igualmente aumentado nesses dois ramos, os capitais adiantados podem ser, ou geralmente o são, dobrados ou triplicados em um outro ramo; a lei do valor de Ricardo, conforme o próprio Ricardo a tinha descoberto, está em contradição com a lei da igualdade da taxa de lucro. Se os produtos dos dois ramos da indústria são vendidos pelos seus valores, as taxas de lucro não podem ser iguais; mas se as taxas de lucro são iguais, os produtos dos dois ramos da indústria não são vendidos pelos seus valores por toda parte nem sempre. Nós temos então aqui uma contradição, uma antinomia entre duas leis econômicas. A solução prática se opera, segundo Ricardo (cap. 1, seções 4 e 5), regularmente em favor da taxa de lucro em detrimento do valor.

Mas a determinação do valor de Ricardo, apesar de suas características nefastas, possui um lado que a torna cara para nossos bravos burgueses. É o lado pelo qual ela faz apelo com uma força irresistível a seu sentimento de justiça. Justiça e igualdade de direitos, eis os pilares pelos quais a burguesia dos séculos XVIII e XIX queriam construir seu edifício social sobre as ruínas das injustiças, das desigualdades e dos privilégios feudais. A determinação do valor das mercadorias pelo trabalho e a troca livre que se produz segundo essa medida de valor entre os possuidores iguais em direito, tais são, como Marx já demonstrou, os fundamentos reais a partir dos quais toda ideologia política, jurídica e filosófica da burguesia moderna se edificou. Desde que se sabe que o trabalho é a medida das mercadorias, os bons sentimentos do bravo burguês deviam se sentir profundamente feridos pela maldade de um mundo que reconhece nominalmente esse princípio de justiça mas que, realmente, a cada instante, sem se constranger, parece o colocar de lado. Sobretudo o pequeno-burguês, cujo trabalho honesto – mesmo que seja aquele de seus operários ou de seus aprendizes – perde todos os dias mais e mais de seu valor por efeito da concorrência da grande produção e das máquinas; principalmente o pequeno produtor deve desejar ardentemente uma sociedade onde a troca dos produtos pelo seu valor de trabalho será uma realidade inteira e sem exceção; em outros termos, ele deve desejar ardentemente uma sociedade onde reinará exclusiva e plenamente uma lei única de produção das mercadorias, mas onde seriam suprimidas as condições que, unicamente, tornam esta lei efetiva, ou seja, as outras leis da produção das mercadorias e, mais ainda, da produção capitalista.

Essa utopia lançou raízes muito profundas no pensamento do pequeno-burguês moderno – real ou ideal. Aquilo que é demonstrado é que ela já era, em 1831, sistematicamente desenvolvida por John Gray, experimentado praticamente e difundido na Inglaterra naquela época, proclamada como a verdade mais recente em 1842 por Rodbertus na Alemanha e em 1846 por Proudhon na França, publicada ainda em 1871 por Rodbertus como a solução da questão social e, por assim dizer, seu testamento social, e, em 1884, ela colhe a adesão da corja que se esforça, sob o nome de Rodbertus, para explorar o socialismo de estado prussiano.

A crítica dessa utopia foi feita de forma tão completa por Marx, assim como ele fez com Proudhon e com Gray[4], que eu aqui posso me limitar a algumas observações sobre a forma especial que Rodbertus encontrou para fundamentá-la e exprimi-la.

Como nós havíamos dito: Rodbertus aceita os conceitos econômicos tradicionais sob a forma exata pelos quais eles foram transmitidos pelos economistas. Ele não faz o menor esforço para verificá-los. O valor é para ele

> *a avaliação quantitativa de uma coisa relativamente a outras; esta avaliação é tomada por medida.*

Essa definição pouco rigorosa, pelo menos, nos dá uma ideia do que o valor parece ser, mas não nos diz absolutamente nada sobre o que ele realmente é. Mas, como isso é tudo o que Rodbertus sabe nos dizer sobre o valor, é compreensível que ele busque uma medida de valor fora do valor. Após ter definido aleatoriamente, sem ordem, o valor de uso e o valor de troca em uma centena de laços, com este poder de abstração, que é admirado infinitamente pelo Sr. Adolphe Wagner, ele chega a esse resultado onde não há nenhuma medida real do valor, sendo preciso se contentar com uma medida sobrerrogatória. O trabalho podia ser esse, mas unicamente no caso de uma troca entre produtos de iguais quantidades de trabalho, que o caso seja de fato "como tal em si ou que se tenha tomado as disposições" que o garantem. Valor e trabalho continuam assim sem a menor relação real, se bem que todo o primeiro capítulo seja dedicado a nos explicar como e porque as mercadorias "contêm trabalho" e nada mais do que trabalho.

O trabalho é ainda mais uma vez tomado sob a forma como ele é encontrado nos economistas. E nem mesmo isso. Porque apesar de dizermos duas palavras sobre as diferenças de intensidade do trabalho, o trabalho é geralmente representado como alguma coisa que "custa", ou seja, que é uma medida de valor, que ele seja, além disso, despesa ou não na média das condições normais da sociedade. Que os produtores empreguem dez dias para a fabricação de produtos que possam ser fabricados em um dia, ou que eles só empreguem um; que eles empreguem as melhores ou as piores ferramentas; que eles empreguem seu tempo de trabalho para a fabricação de artigos socialmente necessários ou na quantidade socialmente necessária, que eles fabriquem artigos que não são de forma alguma requisitados, ou de artigos mais ou menos requisitados – tudo isso não está em questão: o trabalho é o trabalho, o produto de um trabalho igual deve ser trocado por um produto de trabalho igual. Rodbertus, de qualquer forma, é sempre pronto, seja nesse propósito ou em outro, para se colocar do ponto de vista nacional e considerar as relações dos produtores isolados do alto do observatório do conjunto da sociedade; ele evita aqui covardemente tudo isso. E isso simplesmente porque, desde a primeira linha de seu livro, ele vai direto para a utopia do bom trabalho e que toda sua análise do trabalho como produtor de valor deve semear sua rota com armadilhas intransponíveis. Seu instinto é aqui consideravelmente mais forte do que seu poder de abstração, que, a propósito, só é possível de encontrar em Rodbertus no meio da mais concreta pobreza de ideias.

A passagem para a utopia se faz em um abrir e fechar de olhos. As "disposições" que fixam a troca das mercadorias a partir do valor de trabalho como seguindo uma regra absoluta não é motivo de dificuldade. Todos os outros utopistas dessa tendência, de Gray até Proudhon, se atormentaram para elaborar medidas sociais que deveriam atingir tal objetivo. Pelo menos eles procuravam resolver a questão econômica por meios econômicos, graças à ação do possuidor das mercadorias que as troca. Para Rodbertus é muito simples. Como bom prussiano, ele recorre ao Estado. Um decreto do poder público prescreve a reforma.

O valor é assim afortunadamente "constituído", mas não como prioridade dessa Constituição que pedia Rodbertus. Pelo contrário, Gray assim como Bray – entre muitos outros – por muito tempo e bem antes de Rodbertus repetiram exaustivamente o mesmo pensamento: eles desejavam piedosamente as medidas pelas quais os produtos se trocariam, apesar de todos os obstáculos, sempre e unicamente pelo seu valor de trabalho.

Depois que o Estado constituiu dessa forma o valor – pelo menos no que se refere a uma parte dos produtos, pois Rodbertus é modesto –, ele emite seu cupom de trabalho, frente aos adiantamentos feitos aos capitalistas industriais pelos quais eles pagam aos operários; os operários, então, compram os produtos com os cupons de trabalho que eles receberam, permitindo assim o retorno do papel-moeda ao seu ponto de partida. É o próprio Rodbertus que nos ensina como tudo isso acontece admiravelmente.

> *Por meio desta segunda condição, será alcançada a disposição que exige que o valor atestado no bilhete seja realmente posto em circulação, dando-o unicamente àquele que entrega verdadeiramente um produto com um bilhete no qual será marcada exatamente a quantidade de trabalho necessária para a fabricação do produto. Aquele que entrega um produto correspondente a dois dias de trabalho recebe um bilhete onde será marcado "dois dias". A segunda condição será preenchida pela observação exata desta regra em sua emissão. Segundo nossa hipótese, o valor verdadeiro dos bens coincide com a quantidade de trabalho que custou para sua fabricação, e esta quantidade de trabalho tem por medida a unidade de tempo habitual; aquele que entrega um produto no qual lhe são consagrados dois dias de trabalho, se ele consegue que lhe seja confirmado dois dias de trabalho, ele então conseguiu que lhe seja atribuído ou certificado nada mais nem menos do que*

> *o valor que ele de fato entregou – e, além disso, como aquele só obtém tal declaração de quem tem realmente um produto em circulação, ele está igualmente certo de que o valor inscrito no bilhete é capaz de pagar a sociedade. Que se amplie tanto quanto se queira a esfera da divisão do trabalho, se a regra é bem seguida, a soma do valor disponível deve ser exatamente igual à soma do valor certificado; e como a soma do valor certificado é exatamente a soma do valor atribuído, este deve necessariamente se resumir ao valor disponível, todas as exigências são satisfeitas e a liquidação exata (p. 166-167).*

Se Rodbertus teve até o momento a infelicidade de chegar muito tarde com suas descobertas, pelo menos, desta vez, ele teve o mérito de uma espécie de originalidade: nenhum de seus rivais tinha ousado dar à utopia insensata do cupom do trabalho essa forma ingenuamente infantil, eu diria mesmo verdadeiramente pomeraniana. Porque para cada cupom se entrega um objeto de valor correspondente, que nenhum objeto de valor só seja emitido em troca de um cupom correspondente, necessariamente a soma dos cupons é coberta pela soma dos objetos de valor. O cálculo se faz sem a menor sobra, ele está apenas um segundo de trabalho depois, e não existe funcionário superior do fundo da dívida pública que, embora lave o dinheiro em sua função, possa retomar o menor erro. O que mais desejar?

Na sociedade capitalista atual, cada capitalista industrial produz de sua própria conta àquilo que ele quer, como ele quer e tanto quanto ele quer. A quantidade socialmente exigida permanece para ele uma grandeza desconhecida e ele ignora a qualidade dos objetos requeridos assim como sua quantidade. Aquilo que hoje não pode ser entregue tão rapidamente pode ser oferecido amanhã para além da demanda. Portanto, termina-se, de alguma forma, por satisfazer a demanda, e geralmente a produção é finalmente resolvida nos objetos requisitados. Como se efetua a conciliação dessa contradição? Pela concorrência. E como se chega a essa solução? Simplesmente depreciando por baixo de seu valor de trabalho as mercadorias inutilizáveis pela sua qualidade ou pela sua quantidade no presente estado das requisições da sociedade, fazendo os produtores sentirem, dessa forma deturpada, que eles têm na fábrica artigos absolutamente inutilizáveis ou que eles os fabricaram em uma quantidade inutilizável, supérflua. Seguem daí duas coisas:

Antes de tudo, que os desvios contínuos dos preços das mercadorias em relação aos valores das mercadorias são a condição necessária e unicamente pela qual o valor das mercadorias pode existir. É pelas flutuações da concorrência e, consequentemente, pelos preços das mercadorias que a lei do valor pelo tempo de trabalho socialmente necessário se torna uma realidade. Que a forma da representação do valor, que o preço tenha, em regra geral, um aspecto totalmente diferente do que ele manifesta, é uma riqueza que ele divide com a maioria das relações sociais. O rei geralmente se parece pouco com a monarquia que ele representa. Em uma sociedade de produtores que trocam suas mercadorias, querer determinar o valor pelo tempo de trabalho, impedindo a concorrência de estabelecer essa determinação do valor pela única forma pela qual ela pode se fazer, influenciando os preços, é mostrar que está sendo permitido, pelo menos neste terreno, o desconhecimento utópico das leis econômicas.

Em segundo lugar, a concorrência, realizando a lei do valor da produção das mercadorias em uma sociedade de produtores que trocam suas mercadorias, fundamenta por isso mesmo e em certas condições a única ordem e a única organização possíveis da produção social. É somente pela depreciação ou majoração dos preços dos produtos que os produtores isolados de mercadorias aprendem, às suas próprias custas, quais produtos e em qual quantidade a sociedade tem necessidade. Mas é precisamente este único regulador que a utopia compartilhada por Rodbertus quer suprimir. E se nós perguntamos qual garantia nós temos de que só se produzirá a quantidade necessária de cada produto, de que não nos faltará nem chá nem carne, enquanto que o açúcar de beterraba abundará e que transbordará aguardente de batata, que não faltarão calças para cobrir nossa nudez, enquanto que os botões de calcinha se multiplicarão aos milhares – o triunfante Rodbertus nos mostrará sua famosa conta na qual se estabelece um certificado exato para cada libra de açúcar supérflua, para cada barril de aguardente não comprado, para cada botão de calcinha inutilizável, conta que é "justa", pois "satisfaz todas as exigências e onde a liquidação é exata". E quem não acredita deve se dirigir ao Sr. X..., o funcionário superior da caixa da dívida pública na Pomerânia, que revisou o cálculo e o encontrou justo, e que não pode nunca ser considerado culpado de um erro em sua conta de caixa.

Vejamos agora um pouco da ingenuidade pela qual Rodbertus deseja suprimir as crises industriais e comerciais por meio de sua utopia. Desde que a produção de mercadorias tomou as dimensões do mercado mundial, é por meio de um cataclismo desse mercado, por uma crise comercial, que se estabelece o equilíbrio entre os produtores isolados, produzidos segundo um cálculo particular e o mercado para o qual eles produzem – do qual ignoram mais ou menos a demanda em qualidade e quantidade[5]. Se for proibida a concorrência de informar aos produtores isolados o estado do mercado pela alta ou pela baixa dos preços, isso os deixa totalmente cegos. Dirigir a produção das mercadorias de forma que os produtores não possam mais nada saber do estado do mercado para o qual eles produzem é curar as crises, de uma forma que o doutor Eiseinhart poderia invejar Rodbertus.

Agora compreendemos porque Rodbertus determina o valor das mercadorias pelo trabalho, e no máximo aceita graus diferentes de intensidade de trabalho. Se for perguntado por que e como o trabalho cria o valor e, em consequência, o determina e o mede, chegaremos ao trabalho socialmente necessário, necessário para o produto isolado assim como em respeito aos outros produtos da mesma espécie, como em respeito à quantidade total socialmente exigida. Ele teria chegado à questão "Como a produção dos produtores isolados se adapta à demanda social total" e toda sua utopia se torna impossível. De fato, desta vez ele prefere abstrair: ele abstrai o problema a ser resolvido.

Chegamos finalmente à questão onde Rodbertus nos oferece verdadeiramente alguma coisa de novo, questão que o distingue de todos os seus numerosos colegas da organização de troca pelos cupons de trabalho. Todos eles reivindicam este modo de troca com o objetivo de destruir a exploração do trabalho assalariado pelo capital. Cada produtor deve obter o valor do trabalho total de seu produto. Eles são unânimes nessa questão, de Gray até Proudhon. De jeito nenhum, diz ao contrário Rodbertus. O trabalho assalariado e sua exploração subsistem.

Primeiramente, não existe estado social possível onde o trabalhador possa receber pelo seu consumo o valor total de seu produto. O fundo produzido deve prover a uma quantidade de funções economicamente improdutivas, mas necessárias; ele deve consequentemente manter as pessoas que as preenchem. Isso só é verdade enquanto prevalece a atual divisão do trabalho. Em uma sociedade onde o trabalho produtivo geral seria obrigatório, sociedade que se pode, de alguma forma, "imaginar", a observação desmorona. Restaria ainda a necessidade de um fundo social de reserva e de acumulação, e em seguida os trabalhadores, ou seja, todo mundo, permaneceriam em possessão e em gozo de seu produto total, mas cada trabalhador isolado não desfrutaria do produto integral de seu trabalho. A manutenção de funções economicamente improdutivas pelo produto do trabalho não foi negligenciada pelos outros utopistas do cupom de trabalho. Mas eles deixam os próprios operários efetuar a retirada neste objetivo, seguindo nisso o costumeiro modo democrático, enquanto que Rodbertus – para o qual toda reforma social de 1842 é talhada segundo o padrão do Estado prussiano de então – remete tudo ao julgamento da burocracia, que determina soberanamente a parte do operário relativo ao produto de seu próprio trabalho para depois abandoná-lo graciosamente.

Em seguida, a renda fundiária e o lucro devem continuar a existir. De fato, os proprietários rurais e os capitalistas industriais cumprem certas funções socialmente úteis ou mesmo necessárias, mesmo que economicamente improdutivas, e recebem em troca um tipo de remuneração, renda e lucro – o que não é de forma alguma uma concepção nova, mesmo em 1842. Para dizer a verdade, eles recebem bem mais pelo pouco que fazem, e que fazem bastante mal; mas Rodbertus tem necessidade de uma classe privilegiada, pelo menos pelos próximos quinhentos anos; igualmente a taxa da mais-valia, para me exprimir corretamente, deve continuar a existir, mas sem poder ser aumentada. Rodbertus aceita 200% como taxa atual da mais-valia, o que quer dizer que para um trabalho diário de doze horas o operário não obtém um registro de doze horas, mas sim um de unicamente quatro horas, e o valor produzido nas outras oito horas restantes deverá ser dividido entre o proprietário rural e o capitalista. Os cupons de trabalho de Rodbertus mentem, portanto, totalmente, mas é preciso ser proprietário feudal na Pomerânia para imaginar que haveria uma classe operária que conviria trabalhar doze horas para obter um cupom de trabalho de quatro horas. Se traduzirmos os malabarismos da produção capitalista nesta linguagem ingênua, onde ela aparece como um roubo evidente, ela se torna impossível. Cada cupom dado ao trabalhador seria uma incitação direta à rebelião e cairia sob efeito do parágrafo 110 do Código Penal do Império alemão. Nunca deve ter visto outro proletariado como aquele de uma propriedade de um fidalgo pomerânio, um proletariado diarista, quase em situação de servidão, onde reinam o bastão e o chicote, e onde todas as alegres moças da aldeia pertencem ao harém de seu gracioso senhor, para imaginar poder oferecer tais impertinências aos operários. Mas nossos conservadores são nossos grandes revolucionários.

Entretanto, se os operários possuem suficiente mansidão para aceitar que, tendo trabalhado durante doze horas completas de um penoso trabalho, eles, na realidade, só trabalharam quatro horas, lhes será garantido como recompensa que, durante toda a eternidade, sua parte do produto de seu próprio trabalho não ficará abaixo de um terço. Na realidade, isso é como tocar a música da sociedade futura com um trompete de criança. Por isso não vale a pena gastar uma palavra a mais sobre essa questão. Consequentemente, tudo que Rodbertus oferece de novo na utopia dos cupons de trabalho é infantil e bem inferior aos trabalhos de seus numerosos rivais, tanto anteriores quanto posteriores a ele.

Para a época em que apareceu *Zur Erkenntnis...* de Rodbertus, ele era um livro, com certeza, importante. Prosseguir a teoria de Ricardo nessa direção era um começo promissor. Se, somente para ele e para a Alemanha, era uma novidade, seu trabalho, em suma, chega à mesma altura dos melhores de seus precursores ingleses. Mas isso só era um começo cuja teoria só poderia esperar um real proveito por meio de um trabalho posterior, fundamental, crítico. Esse desenvolvimento se interrompe, portanto, nesse ponto porque, desde o começo, o desenvolvimento de Ricardo é dirigido em outro sentido, no sentido da utopia. Desde então, é perdida a condição de qualquer crítica e independência. Rodbertus assim trabalha com um objetivo preconcebido, tornando-se um economista tendencioso. Uma vez preso pela sua utopia, ele se interdiz de qualquer possibilidade de progresso científico. A partir de 1842 até sua morte, ele gira no mesmo círculo, reproduz as mesmas ideias, já expressas ou indicadas nas suas obras anteriores, se sente desconhecido, se vê saqueado enquanto que não havia nada a saquear e, finalmente, ele se recusa, não sem intenção, à evidência que, na realidade, não descobriu nada que já não existia desde muito tempo.

É desnecessário sublinhar que a linguagem desta obra não coincide com aquela do *Capital*. Marx ainda se refere ao trabalho como mercadoria, de compra e venda do trabalho em vez de força de trabalho.

Como complemento, acrescentamos a esta edição: 1º) uma passagem da obra de Marx (*Crítica da economia política*. Berlim, 1859), a propósito da primeira utopia dos cupons de trabalho de John Gray; e 2º) o discurso de Marx sobre o livre-comércio, que foi pronunciado em francês em Bruxelas (1847), e que pertence ao mesmo período do autor em *Miséria*.

Friedrich Engels
Londres, 25 de outubro de 1884.

Para a 2ª edição alemã

Para esta segunda edição alemã, eu acrescentaria simplesmente que o nome de Hopkins deve ser substituído pelo mais exato de Hodgskins, e que a data da obra de William Thompson (mesma página) deve ser trocada para 1824. O saber bibliófilo do senhor professor Anion Menger será assim, esperamos, satisfeito.

Friedrich Engels
Londres, 29 de março de 1892.

Miséria da filosofia[6]

O Sr. Proudhon tem a infelicidade de ser singularmente desconhecido na Europa. Na França, ele tem o direito de ser um mau economista, porque ele se passa por ser um bom filósofo alemão. Na Alemanha ele tem o direito de ser um mau filósofo, porque ele se passa por ser um dos melhores economistas franceses. Nós, em nossa qualidade de alemão e economista ao mesmo tempo, queremos protestar contra esse duplo erro.

O leitor compreenderá que, neste trabalho ingrato, foi-nos necessário abandonar a crítica do Sr. Proudhon para fazer a crítica da filosofia alemã, e dar, ao mesmo tempo, algumas avaliações sobre economia política.

Karl Marx

Bruxelas, 15 de junho de 1847.

A obra do Sr. Proudhon não é apenas um tratado de economia política, um livro comum, é uma bíblia: "Mistérios", "Segredos arrancados do seio de Deus", "Revelações", nada falta. Mas como, atualmente, os profetas são mais conscienciosamente discutidos que os autores profanos, é necessário que o leitor se conforme em passar conosco pela erudição árida e tenebrosa da "gênese", para depois ascender com o Sr. Proudhon para as regiões etéreas e fecundas do suprassocialismo (Cf. PROUDHON. "Prólogo". In: *Philosophie de la misère*, p. III, l. 20).

I
Uma descoberta científica

1
Oposição entre o valor de uso e o valor de troca

A capacidade que possuem todos os produtos, sejam naturais, sejam industriais, de servirem para a subsistência do homem se denomina particularmente valor de uso; a capacidade de dar-se um pelo outro, valor de troca?... A origem da ideia do valor (de troca) não foi tratada com muito cuidado pelos economistas: é importante nos determos sobre isso. Portanto, significa que, entre os objetos de que tenho necessidade, um grande número deles só se encontra na natureza em quantidade ínfima, ou mesmo não se encontra de forma alguma, e eu sou obrigado a produzir aquilo que me falta; e como não tenho condições de produzir tantas coisas, eu proporei a outros homens, meus colaboradores em funções diversas, de me cederem uma parte de seus produtos em troca do meu[7].

O Sr. Proudhon se propõe a nos explicar, antes de tudo, a dupla natureza do valor, a "distinção no valor", o movimento que faz do valor de uso um valor de troca. Vamos nos deter aqui com o Sr. Proudhon neste ato de transubstanciação. Vejamos como este ato se realiza segundo nosso autor.

Um grande número de produtos não se encontra na natureza, eles são encontrados graças à indústria. Suponhamos que as necessidades ultrapassam a produção espontânea da natureza, o homem é forçado a recorrer à produção industrial. O que é esta indústria, na suposição do Sr. Proudhon? Qual é sua origem? Um único homem tem a necessidade de um grande número de coisas e "não pode produzir tantas coisas". Tantas necessidades a serem satisfeitas supõem tantas coisas a serem produzidas – não existem produtos sem produção –; tantas coisas a serem produzidas supõem mais do que um único homem ajudando a produzi-las. Ora, desde o momento em que você supõe mais de uma mão colaborando na produção, você imediatamente supõe toda uma produção, baseada na divisão do trabalho. Assim a necessidade, tal como o Sr. Proudhon a supõe, supõe ela mesma toda a divisão do trabalho. Supondo a divisão do trabalho, você tem a troca e consequentemente o valor de troca. Poderíamos assim supor, desde o início, o valor de troca.

Mas o Sr. Proudhon preferiu dar voltas. Vamos segui-lo em todos os seus desvios, para voltarmos sempre ao seu ponto de partida.

Para sair desse estado de coisas onde cada um produz solitariamente, e para chegar à troca, "eu me dirijo", diz o Sr. Proudhon, "aos meus colaboradores em suas diversas funções". Portanto, eu tenho colaboradores que possuem funções diversas, sem que por isso eu e todos os outros, sempre segundo a suposição do Sr. Proudhon, tenhamos saído da posição solitária e pouco social dos Robinsons.

Os colaboradores e as diversas funções, a divisão do trabalho e a troca que ela implica, tudo isso foi descoberto de repente.

Resumamos: eu tenho necessidades fundamentadas na divisão do trabalho e na troca. Supondo essas necessidades, o Sr. Proudhon pretende ter suposto a troca, o valor de troca, da qual ele se propõe precisamente de "tratar sua origem muito mais cuidadosamente do que os outros economistas".

O Sr. Proudhon poderia muito bem inverter a ordem das coisas, sem com isso alterar a exatidão de suas conclusões. Para explicar o valor de troca, é preciso haver a troca. Para explicar a troca, é preciso haver a divisão do trabalho. Para explicar a divisão do trabalho, são necessárias carências que a exijam. Para explicar essas carências, é preciso as "supor", o que não significa negá-las, ao contrário do que diz o primeiro axioma do prólogo do Sr. Proudhon: "Supor Deus é negá-lo"[8].

Como o Sr. Proudhon, para quem a divisão do trabalho é supostamente conhecida, avança para explicar o valor de troca, que para ele é sempre desconhecido?

"Um homem [vai] propor para outros homens, seus colaboradores em funções diversas", estabelecer a troca e distinguir entre o valor usual e o valor permutável. Aceitando essa distinção proposta, os colaboradores só deixaram ao Sr. Proudhon o "cuidado" de aceitar o fato, de registrá-lo, "de assinalar" em seu tratado de economia política a "origem da ideia de valor". Mas ele precisa sempre nos explicar como este homem solitário, este Robson, teve de repente a ideia de fazer "a seus colaboradores" uma proposta desse tipo e como seus colaboradores a aceitaram sem nenhum protesto.

O Sr. Proudhon não se preocupa com esses detalhes genealógicos. Ao fato da troca, ele simplesmente atribui uma espécie de selo histórico, apresentando-a sob a forma de uma moção, proposta por um terceiro, tendendo a estabelecer a troca.

Eis uma amostra do *"método histórico e descritivo"* do Sr. Proudhon, que professa um soberbo desdém pelo "método histórico e descritivo" dos Adam Smith e dos Ricardo.

A troca tem, segundo ele, sua própria história, passando por diferentes fases.

Houve um tempo, como na Idade Média, onde só se trocava o supérfluo, o excedente da produção sobre o consumo.

Houve também um tempo onde não somente o supérfluo, mas todos os produtos, toda a existência industrial era comercializada, onde toda a produção dependia da troca. Como explicar essa segunda fase da troca – o valor venal elevado à segunda potência?

O Sr. Proudhon teria uma resposta toda pronta: basta supor que um homem tenha "proposto para outros homens, seus colaboradores em funções diversas", de elevar o valor venal à sua segunda potência.

Enfim, veio um tempo onde tudo que os homens consideravam como inalienável tornou-se objeto de troca, de tráfico e pôde ser alienado. É o tempo onde as coisas que até então eram comunicadas, mas jamais trocadas, dadas mas jamais vendidas, adquiridas mas jamais compradas – virtude, amor, opinião, ciência, consciência etc. – enfim, tudo passa pelo comércio. É o tempo da corrupção geral, da venalidade universal, ou para falar em termos de economia política, o tempo onde toda coisa, moral ou física, tendo se tornado valor venal, é levada ao mercado para ser apreciada pelo seu mais justo valor.

Como ainda explicar essa nova e última fase da troca – o valor venal elevado à sua terceira potência?

O Sr. Proudhon teria uma resposta já pronta: basta supor que uma pessoa tenha "proposto para outras pessoas, seus colaboradores em funções diversas" fazer da virtude, do amor etc., um valor venal e de elevar o valor de troca à sua terceira e última potência.

Como podemos ver, o "método histórico e descritivo" do Sr. Proudhon é bom para tudo, responde tudo, explica tudo. Trata-se principalmente de explicar historicamente a "origem de uma ideia econômica"; ele supõe um homem que propõe para outros homens, seus colaboradores em funções diversas, realizar esse ato de criação, e tudo está dito.

Daqui em diante, nós aceitaremos a "origem" do valor de troca como um ato consumado; só nos falta agora expor a relação entre o valor de troca e o valor de uso. Vamos ouvir o Sr. Proudhon:

> *Os economistas fizeram bem em ressaltar o caráter duplo do valor, mas aquilo que eles não evidenciaram com a mesma clareza é a sua natureza contraditória; aqui começa nossa crítica... Não é suficiente assinalar no valor útil e no valor permutável este surpreendente contraste, onde os economistas estão acostumados a só ver aquilo que é bem simples: é preciso demonstrar que essa pretensa simplicidade esconde um mistério profundo que é nosso dever esclarecer...*

Em termos técnicos, o valor útil e o valor permutável estão em razão inversa entre si.

Se compreendermos bem o pensamento do Sr. Proudhon, ele propõe estabelecer quatro pontos:

1) O valor útil e o valor permutável constituem um "contraste surpreendente", opõem-se entre si.

2) O valor útil e o valor permutável estão em razão inversa entre si, estão em contradição.

3) Os economistas não viram nem conheceram quer a oposição quer a contradição.

4) A crítica do Sr. Proudhon começa pelo fim.

Nós também vamos começar pelo fim, e para desculpar os economistas das acusações do Sr. Proudhon, nós daremos voz a dois economistas muito importantes.

Sismondi:

> *O comércio reduz todas as coisas à oposição entre o valor usual e o valor permutável etc.[9]*

Lauderdale:

> *Em geral, a riqueza nacional [o valor útil] diminui na proporção em que as fortunas individuais crescem pelo aumento do valor venal; e na medida em que estas se reduzem pela diminuição deste valor, a primeira geralmente aumenta[10].*

Sismondi fundamentou sua principal doutrina sobre a oposição entre o valor usual e o valor permutável, segundo a qual a diminuição da renda é proporcional ao crescimento da produção.

Lauderdale fundamentou seu sistema sobre a razão inversa das duas espécies de valor, e sua doutrina era de tal modo popular no tempo de Ricardo, que este podia se referir a ela como uma coisa geralmente conhecida.

> *Confundindo as ideias do valor venal e das riquezas (valor útil) pretendeu-se que, diminuindo a quantidade de coisas necessárias, úteis ou agradáveis à vida, poder-se-ia aumentar as riquezas[11].*

Como podemos ver, os economistas, antes do Sr. Proudhon, "assinalaram" o mistério profundo da oposição e da contradição. Vejamos agora como o Sr. Proudhon, depois dos economistas, a seu modo, explica esse mistério.

O valor de troca de um produto diminui na medida em que a oferta cresce; em outras palavras: quanto mais um produto é abundante em face de demanda, menor o seu valor de troca ou preço do produto. Vice-versa: quanto menor a oferta em face de demanda, maior o valor de troca ou o preço do produto aumenta; em outras palavras, maior a escassez dos produtos oferecidos em face de demanda, mais caro será ele. O valor de troca de um produto depende de sua abundância ou de sua raridade, mas sempre em face de demanda. Suponhamos mais do que escasso, único de seu gênero, se for possível: esse produto único será mais que abundante, ele será supérfluo, se não existe demanda. Ao contrário, suponhamos um produto multiplicado em milhões: ele será sempre escasso se não satisfizer a demanda, ou seja, se ele é muito procurado.

São essas verdades, podemos dizer quase banais, que é necessário reproduzir aqui para tornar compreensíveis os mistérios do Sr. Proudhon.

> *Seguindo assim o princípio até as últimas consequências, chegaremos à conclusão, inteiramente lógica, de que as coisas cujo uso é necessário e cuja*

quantidade é infinita não deveriam valer nada, ao passo que aquelas cuja utilidade é nenhuma e que são extremamente escassas deveriam ter um preço inestimável. Para culminar a confusão, a prática não admite tais extremos: de um lado, nenhum produto humano poderia ser infinitamente abundante: do outro, as coisas mais escassas tem que ser úteis em alguma medida, pois, ao contrário, não possuem nenhum valor. O valor útil e o valor permutável permanecem, pois, necessariamente entrelaçados, embora tendam, pela sua natureza, a se excluírem continuamente[12].

O que conduz o Sr. Proudhon a esta enorme confusão? O fato de que ele, simplesmente, esqueceu-se da demanda, o fato de algo só ser escasso ou abundante na medida em que for. Deixando de lado a demanda, ele identifica o valor de troca com a escassez e o valor útil com a abundância. Com efeito, ao dizer que as coisas "cuja utilidade é nenhuma e que a escassez é extrema", "tem um preço inestimável", ele afirma simplesmente que o valor de troca é a escassez. "Extrema escassez e utilidade nula", eis a pura escassez. "Preço inestimável", eis o máximo do valor de troca, o puro valor de troca. Ele estabelece uma equação com esses dois termos. Logo, valor de troca e escassez são termos equivalentes. Chegando a essas pretensas "consequências extremas", o Sr. Proudhon, de fato, levou ao extremo não as coisas, mas os termos que as exprimem, no que ele demonstra mais retórica do que lógica. Acreditando encontrar novas consequências, ele efetivamente reencontra, em toda sua nudez, as suas primeiras hipóteses. Graças ao mesmo procedimento, ele consegue identificar o valor útil com a abundância pura.

Depois de ter equacionado o valor de troca e a escassez, o valor útil e a abundância, o Sr. Proudhon fica surpreso de não encontrar nem o valor útil na escassez nem no valor de troca, nem o valor de troca na abundância e no valor útil; e vendo que a prática jamais admite esses extremos, ele só pode acreditar no mistério. Segundo ele, há preço inestimável porque não existem compradores, e ele não o encontrará jamais enquanto fizer abstração da procura.

Por sua vez, a abundância do Sr. Proudhon parece alguma coisa de espontâneo. Ele esquece que existem pessoas que a produzem, e que é de interesse destas jamais perderem de vista a procura. Senão, como o Sr. Proudhon poderia dizer que coisas que são muito úteis devem ter preços bem baixos ou mesmo nada custar? Pelo contrário, ele deveria concluir que é preciso restringir a abundância, a produção das coisas muito úteis, se quisermos aumentar o preço, o valor de troca.

Os antigos vinhateiros da França, solicitando uma lei que interditava a plantação de novas vinhas; os holandeses, queimando os temperos da Ásia, erradicando as mudas de cravo nas Molucas, querem nada mais do que reduzir a abundância para aumentar o valor de troca. Toda a Idade Média, limitando o número de operários que um só mestre poderia empregar, limitando o número de instrumentos que ele poderia empregar, agia segundo este mesmo princípio (cf. ANDERSON. *Histoire du commerce*).

Depois de ter representado a abundância como valor útil e a escassez como valor de troca – nada mais fácil do que demonstrar que a abundância e a escassez estão em razão inversa –, o Sr. Proudhon identificou o valor útil com a oferta e o valor de troca com a procura. Para tornar a antítese ainda mais nítida, ele substituiu os termos colocando "valor de opinião" no lugar do valor de troca. Eis que o conflito mudou de terreno, e nós temos de um lado a utilidade (o valor de uso, a oferta) e, de outro, a opinião (o valor de troca, a procura).

Quem conciliará essas duas potências opostas uma da outra? Como fazer para harmonizá-las? Poderíamos, pelo menos, estabelecer entre elas um ponto de comparação?

> Certamente [exclama o Sr. Proudhon], existe um: é o livre-arbítrio. O preço que resultará desta luta entre a oferta e a procura, entre a utilidade e a opinião, não será a expressão da justiça eterna.

O Sr. Proudhon continua a desenvolver esta antítese:

> Na qualidade de comprador livre, eu sou o juiz de minha necessidade, juiz da conveniência do objeto, do preço que lhe quero colocar. Por outro lado, na sua qualidade de produtor livre, você é mestre dos meios de execução, e, consequentemente, você tem a capacidade de diminuir seus custos[13].

E como a procura ou o valor de troca é identificada com a opinião, o Sr. Proudhon é levado a afirmar:

> Está provado que é o livre-arbítrio do homem que dá lugar à oposição entre o valor de uso e o valor de troca. Como resolver esta oposição enquanto subsistir o livre-arbítrio? E como sacrificar este sem sacrificar o homem?[14]

Portanto, não há nenhum resultado possível. Há uma luta entre duas potências por assim dizer incomensuráveis, entre o útil e a opinião, entre o comprador livre e o produtor livre.

Vejamos as coisas um pouco mais de perto.

Nem a oferta representa exclusivamente a utilidade, nem a procura representa exclusivamente a opinião. Aquele que procura não oferece também um produto qualquer ou o signo representativo de todos os produtos, o dinheiro? E, ao oferecê-lo, não representa ele, segundo o Sr. Proudhon, a utilidade ou o valor de troca?

Por sua vez, aquele que oferece não procura também um produto qualquer ou o signo representativo de todos os produtos, o dinheiro? E assim, não se torna ele o representante da opinião, do valor de opinião ou do valor de troca?

A procura é, ao mesmo tempo, uma procura; a oferta é, ao mesmo tempo, uma procura. Assim, a antítese do Sr. Proudhon, simplesmente identificando oferta com utilidade e procura com opinião, baseia-se em uma abstração fútil.

O que o Sr. Proudhon chama valor útil, outros economistas chamam, com igual razão, valor de opinião. Citaremos unicamente Storch[15].

Segundo ele, chama-se necessidades as coisas das quais nós sentimos necessidade; chama-se valores as coisas às quais nós atribuímos valor. A maioria das coisas somente tem valor porque elas satisfazem as necessidades engendradas pela opinião. A opinião sobre nossas necessidades pode mudar, portanto, a utilidade das coisas, que só exprime uma relação dessas coisas com nossas necessidades, também pode mudar. As próprias necessidades naturais mudam continuamente. De fato, quanta necessidade existe nos objetos que servem de alimento principal nos diferentes povos!

O conflito não é entre a utilidade e a opinião. Ele se dá entre o valor venal que quem oferece procura e o valor venal oferecido por quem procura. O valor de troca do produto é, em cada caso, o resultante dessas apreciações contraditórias.

Em última análise, a oferta e a procura colocam em presença a produção e o consumo, mas produção e consumo baseados em trocas individuais.

O produto oferecido não é útil em si mesmo. É o consumidor que constata sua utilidade. E mesmo quando a sua utilidade é reconhecida, o produto não é apenas utilidade. Durante a produção ele foi trocado por todos os custos de produção, tais como as matérias-primas, os salários dos operários etc., todas as coisas que são valores venais. Portanto, aos olhos do produtor, o produto representa uma soma de valores venais. O que ele oferece não é apenas um objeto útil, mas também, e principalmente, um valor venal.

Relativamente à demanda, esta só será efetiva na condição de ter à sua disposição meios de troca, meios que, igualmente, são produtos, valores venais.

Na oferta e na demanda nós encontramos, pois, de um lado, um produto que custou valores venais e a necessidade de vender, e, de outro, os meios que custaram os valores venais e o desejo de comprar.

O Sr. Proudhon opõe o comprador livre ao produtor livre. Ele atribui tanto a um quanto ao outro qualidades puramente metafísicas. É o que lhe faz afirmar:

> *Está provado que é o livre-arbítrio do homem que dá lugar à oposição entre o valor útil e o valor de troca.*

O produtor, desde o momento em que produz em uma sociedade baseada sobre a divisão do trabalho e sobre as trocas, e esta é a hipótese do Sr. Proudhon, é obrigado a vender. O Sr.

Proudhon faz o produtor senhor dos meios de produção; mas ele convirá conosco que não será do livre-arbítrio que dependem seus meios de produção. Mas esses meios são, em sua maioria, produtos que chegam de fora, e na produção moderna ele sequer é livre para produzir na quantidade que desejaria. O nível atual do desenvolvimento das forças produtivas o obriga a produzir em tal ou qual escala.

O consumidor não é mais livre do que o produtor. Sua opinião assenta sobre seus meios e suas necessidades. Ambos são determinados pela sua situação social, a qual depende de toda organização social. Sim, o operário que compra batatas e a concubina que compra rendas seguem suas respectivas opiniões. Mas a diversidade de suas opiniões se explica pela diferença da posição que elas ocupam no mundo, a qual é produto da organização social.

Todo o sistema das necessidades é fundamentado sobre a opinião ou sobre toda a organização da produção? A maioria das necessidades nasce diretamente da produção ou de um estado de coisas fundamentadas na produção. Quase todo o comércio do universo gira em torno das necessidades não do consumo individual, mas sim da produção. Escolhendo outro exemplo, a necessidade de tabeliões não supõe um direito civil determinado, que é expressão de um dado desenvolvimento da propriedade, ou seja, da produção?

O Sr. Proudhon não se limita a eliminar da relação entre a oferta e a procura os elementos que mencionamos. Ele conduz a abstração até os seus últimos extremos, fundindo todos os produtores em um único produtor e todos os consumidores em um único consumidor e estabelecendo a luta entre esses dois quiméricos personagens. No entanto, no mundo real as coisas são diferentes. A concorrência entre aqueles que procuram constitui um elemento necessário da luta entre os compradores e os vendedores, de onde resulta o valor venal.

Depois de eliminar os custos da produção e a concorrência, o Sr. Proudhon pode reduzir, a seu modo, a fórmula da oferta e da procura ao absurdo:

> *A oferta e a procura não são mais do que formas cerimoniais que servem para colocar frente a frente o valor de utilidade e o valor de troca e para promover a sua conciliação. São dois polos elétricos cuja relação deve produzir o fenômeno de afinidade chamado troca*[16].

Isso significa o mesmo que dizer que a troca é uma "forma cerimonial" destinada a colocar frente a frente o consumidor e o objeto de consumo. Significa o mesmo que dizer que todas as relações são "formas cerimoniais" pelas quais se realiza o consumo imediato. A oferta e a procura são relações de uma produção determinada, assim como as trocas individuais.

Então, em que consiste toda a dialética do Sr. Proudhon? Consiste na substituição do valor útil e do valor permutável, da oferta e da procura por noções absurdas e contraditórias, tais como a escassez e a abundância, o útil e a opinião, um produtor e um consumidor – ambos *cavaleiros do livre-arbítrio*.

A que resultado ele quer chegar?

Preparar a introdução ulterior de um dos elementos que ele afastara, os *custos de produção*, como síntese entre o valor útil e o valor permutável. É assim que, aos olhos do Sr. Proudhon, os custos de produção constituem o *valor sintético* ou *valor constituído*.

2
Valor constituído ou valor sintético

"O valor venal é a pedra angular do edifício econômico" (tomo I, p. 90). O valor "constituído" é a pedra angular do sistema de contradições econômicas.

E o que é, então, esse "valor constituído" que representa toda a descoberta do Sr. Proudhon em economia política?

Uma vez admitida a utilidade, o trabalho é o fruto do valor. A medida do trabalho é o tempo. O valor relativo dos produtos é determinado pelo tempo de trabalho que foi preciso empregar para produzi-los. O preço é a expressão monetária do valor relativo de um produto. Enfim, o valor "constituído" de um produto é simplesmente o valor que se constituiu pelo tempo de trabalho nele empregado.

Assim como Adam Smith descobriu a *divisão do trabalho*, o Sr. Proudhon pretende ter descoberto o *valor constituído*. Não se trata exatamente de "algo inaudito", mas também é preciso convir que não existe nada de inaudito em qualquer descoberta da ciência econômica. Entretanto, o Sr. Proudhon, que sente toda a importância de sua invenção, procura atenuar seu mérito

*com o objetivo de tranquilizar o leitor
acerca das suas pretensões à originalidade
e de se reconciliar com os espíritos cuja
timidez os torna pouco favoráveis às ideias
novas.*

Mas na medida em que aprecia o que cada um dos seus precursores faz para determinar o valor, vê-se constrangido a proclamar em alto e bom tom que a parte que lhe cabe é a maior, é a parte do leão.

*A ideia sintética do valor foi vagamente
percebida por Adam Smith... Mas, nele,
esta ideia de valor foi totalmente intuitiva:
ora, a sociedade não muda os seus costumes
na base da fé em intuições: ela só se decide
sob a autoridade dos fatos. Era necessário
que a antinomia se expressasse de uma
forma mais sensível e mais nítida: J.-B. Say
foi seu principal intérprete.*

Eis a história completa da descoberta do valor sintético: de Adam Smith temos a intuição vaga; de J.-B. Say temos a antinomia; do Sr. Proudhon temos a verdade constituinte e "constituída". E que ninguém se equivoque: todos os outros economistas, de Say a Proudhon, apenas se arrastaram na trilha da antinomia.

*É incrível que, há quarenta anos, tantos
homens inteligentes se debatam com uma
ideia tão simples. Mas não: a comparação
entre os valores se realiza sem que aja entre
eles ponto de comparação e sem unidade
de medida: eis que, em vez de abraçar a
teoria revolucionária da igualdade, os
economistas do século XIX resolveram
sustentar diante de todos e contra todos.
O que dirá a posteridade?*[17]

A posteridade, tão repentinamente apostrofada, começará por se confundir com a cronologia. Ela obrigatoriamente se perguntará: Ricardo e sua escola não são economistas do século XIX? O sistema de Ricardo, fundado no princípio no qual

> *o valor relativo das mercadorias depende exclusivamente da quantidade de trabalho requerida para a sua produção*

remonta a 1817. Ricardo lidera uma escola que predomina na Inglaterra desde a Restauração. A doutrina ricardiana resume rigorosamente, impiedosamente, o ponto de vista de toda a burguesia inglesa, que é, em si mesma, a típica burguesia moderna. "O que dirá a posteridade?" Não dirá que o Sr. Proudhon ignorou Ricardo, já que se refere, e muito, a ele, concluindo que suas ideias são uma "barafunda". Se a posteridade um dia intervier nisso, talvez diga que o Sr. Proudhon, temendo chocar a anglofobia de seus leitores, preferiu fazer o editor responsável pelas ideias de Ricardo. De qualquer forma, à posteridade parecerá muito ingênuo que o Sr. Proudhon exiba como "teoria revolucionária do futuro" o que Ricardo expôs cientificamente como a teoria da sociedade atual, da sociedade burguesa, bem como o fato do Sr. Proudhon considerar como a solução da antinomia entre a utilidade e o valor de troca aquilo que Ricardo e sua escola, faz muito, apresentaram como a fórmula científica de um único termo da antinomia, do *valor de troca*. Mas deixemos, para sempre, a posteridade de lado e confrontemos o Sr. Proudhon com seu predecessor Ricardo. Eis algumas passagens deste autor, que resumem a sua doutrina sobre o valor:

> *Não é a utilidade que é a medida do valor permutável, embora lhe seja absolutamente necessária*[18].

> *As coisas, uma vez que foram reconhecidas como úteis por si mesmas, extraem seu valor permutável de duas*

*fontes: da sua escassez e da quantidade
de trabalho necessário para adquiri-las.
Há coisas cujo valor depende apenas da
escassez. Já que nenhum trabalho pode
aumentar a sua quantidade, o seu valor
não se reduz por meio de uma abundância
maior. É o caso das estátuas ou dos quadros
valiosos etc. Este valor depende apenas das
faculdades, dos gostos e do capricho daqueles
que desejam possuir tais objetos[19].*

*No entanto, tais objetos são pequeníssima
quantidade dentre as mercadorias que se
trocam no dia a dia. Dado que o maior
número de objetos que se deseja possuir
é produto da indústria, eles podem ser
multiplicados, não apenas em um país,
mas em vários, em uma proporção tal
que é quase impossível assinalar limites,
sempre que se queira empregar a indústria
necessária para produzi-la[20].*

*Portanto, quando falamos de
mercadorias, do seu valor permutável
e dos princípios que regulam o seu
preço relativo, referimo-nos àquelas
cuja quantidade pode ser acrescida pela
indústria dos homens, cuja produção é
estimulada pela concorrência e que não
é obstaculizada por nenhum entrave[21].*

Ricardo cita Adam Smith que, em seu entender, "definiu com *muita precisão* a fonte primitiva de
todo valor permutável (SMITH, tomo I, cap. V) e ele
acrescenta:

*Qualquer que seja, na realidade, a base
do valor permutável de todas as coisas
[a saber, o tempo de trabalho], exceto o
daquelas que a indústria dos homens não
pode multiplicar à vontade, este ponto*

> *doutrinário é da mais alta prioridade em economia política: porque não existe outra fonte de que tenham brotado tantos erros e que tenha originado tantas divergências nesta ciência como o sentido vago e impreciso que se confere à palavra valor[22].*

> *Se for a quantidade de trabalho fixado em uma coisa que regula o seu valor de troca, segue-se que todo aumento de quantidade de trabalho deve necessariamente fazer aumentar o valor do objeto no qual é empregado, e, igualmente toda diminuição de trabalho deve diminuir seu preço[23].*

Em seguida, Ricardo critica Smith:

> *1º) de atribuir ao valor de trabalho uma medida diferente do trabalho, ora o valor do trigo, ora a quantidade de trabalho que uma coisa pode comprar etc.[24]*

> *2º) de admitir sem reservas o princípio e, no entanto, limitar a sua aplicação ao estado primitivo e grosseiro da sociedade, anterior à acumulação de capitais e à propriedade das terras[25].*

Ricardo procura demonstrar que a propriedade das terras, isto é, a renda, não poderá mudar o valor relativo[26] dos produtos agrícolas, e que a acumulação de capitais exerce apenas uma ação passageira e oscilante sobre os valores relativos determinados pela quantidade comparativa de trabalho empregado em sua produção. Para sustentar sua tese, Ricardo formula a sua famosa teoria da renda fundiária, decompõe o capital e, em última análise, só encontra nele capital acumulado. Em seguida, desenvolve toda uma teoria do salário e do lucro, demonstrando que ambos têm seus movimentos de alta e de baixa, em razão inversa um do outro e sem influir sobre o valor relativo do produto. Ele não omite a influência que a acumulação dos capitais e a diferença de sua natureza (capitais fixos e capitais circulantes), assim como a taxa dos salários, podem exercer sobre o valor proporcional dos produtos. De fato, esses são os problemas principais com os quais Ricardo se ocupa.

> *Toda a economia no trabalho, diz ele[27], não deixa, jamais, de reduzir o valor relativo de uma mercadoria, quer incida sobre o trabalho necessário à fabricação do próprio objeto, quer sobre o trabalho necessário à formação do capital utilizado nesta produção[28].*

> *Consequentemente, enquanto uma jornada de trabalho continuar fornecendo uma idêntica quantidade de peixe e outra idêntica quantidade de caça, a taxa natural dos respectivos preços de troca permanecerá sempre a mesma, independentemente da variação dos salários e do lucro e dos vários efeitos da acumulação do capital[29].*

> *Nós consideramos o trabalho como fundamento do valor das coisas, e a quantidade de trabalho necessária à sua produção como o padrão que determina as quantidades respectivas das mercadorias que devem ser trocadas por outras, mas não negamos que possam ocorrer, no preço corrente das mercadorias, desvios acidentais e passageiros deste preço primitivo e natural[30].*

> *São os custos de produção que regulam, em última análise, os preços das coisas, e não, como frequentemente se pretende, a proporção entre oferta e procura[31].*

Lorde Lauderdale desenvolveu as variações do valor permutável segundo a lei da oferta e da procura, ou da raridade e da abundância relativamente à procura. Segundo ele, o valor de uma coisa pode aumentar quando ela escasseia ou quando a demanda cresce, e pode diminuir quando abunda ou quando a demanda se reduz. Assim, o valor de uma coisa pode variar pela ação de oito causas diferentes, quatro referentes à própria coisa e quatro referentes ao dinheiro ou a qualquer outra coisa que sirva de medida de seu valor. Eis a refutação de Ricardo:

> Os produtos monopolizados por um particular ou por uma companhia variam de valor segundo a lei formulada por Lorde Lauderdale: diminuem na proporção em que são oferecidos em maior quantidade, aumentam com o desejo dos compradores de adquiri-los; o seu preço não tem uma relação necessária com seu valor natural. Contudo, no que se refere às coisas sujeitas à concorrência entre os vendedores e cuja quantidade passa a ser encontrada dentro de limites moderados, o seu preço depende, em definitivo, não do estado da procura e do aprovisionamento, mas do aumento ou da redução dos custos da produção[32].

Deixaremos ao leitor a comparação entre a linguagem tão precisa, clara e simples de Ricardo e os retóricos esforços do Sr. Proudhon para alcançar a determinação do valor relativo pelo tempo de trabalho.

Ricardo nos apresenta o movimento real da produção burguesa que constitui o valor. Abstraindo este movimento real, o Sr. Proudhon "se debate" na invenção de novos procedimentos, a fim de ordenar o mundo segundo uma fórmula pretensamente original que, na verdade, é apenas expressão teórica do movimento real existente, tão bem exposta já por Ricardo. Este toma a sociedade atual como ponto de partida para nos demonstrar como ela constitui o valor. Já para o Sr. Proudhon, o "valor constituído" é o seu ponto de partida para constituir um novo mundo social por meio deste valor. Segundo o Sr. Proudhon, ela é a síntese do valor útil e do valor de troca. A teoria dos valores de Ricardo é a interpretação científica da vida econômica atual: a teoria dos valores do Sr. Proudhon é a interpretação utópica da teoria de Ricardo. Ricardo verifica a verdade de sua fórmula derivando-a de todas as relações econômicas, e assim parecem contradizê-la, como a renda, a acumulação de capitais e a relação entre salários e lucros; e é isso, precisamente, que faz de sua doutrina um sistema científico. O Sr. Proudhon, que redescobriu essa fórmula de Ricardo a partir de hipóteses inteiramente arbitrárias, vê-se compelido, ulteriormente, a procurar fatos econômicos isolados, que violenta e falsifica, para fazê-los passar por exemplos, aplicações já existentes, realizações iniciais de sua ideia regeneradora (cf. § 3).

Vejamos agora as conclusões que o Sr. Proudhon retira do "valor constituído" (pelo tempo de trabalho):

- Uma certa quantidade de trabalho equivale ao produto criado por esta mesma quantidade de trabalho.

- Qualquer jornada de trabalho equivale a outra jornada de trabalho: não há diferença qualitativa. Dada igual quantidade de trabalho, o trabalho de um homem equivale ao de outro. Dada igual quantidade de trabalho, o produto de um se troca pelo produto de outro. Todos os homens são trabalhadores assalariados e assalariados igualmente pagos por um tempo igual de trabalho. A igualdade perfeita preside as trocas.

Tais conclusões são as consequências naturais, rigorosas, do valor "constituído" ou determinado pelo tempo de trabalho?

Se o valor relativo de uma mercadoria é determinado pela quantidade de trabalho requerido para produzi-la, segue-se naturalmente que o valor relativo do trabalho é necessário para produzir o salário. O salário, isto é, o valor relativo – ou o preço do trabalho –, é, pois, determinado pelo tempo de trabalho requerido para produzir tudo que é necessário para a manutenção do operário.

> Reduzam-se os custos de fabricação dos chapéus e o seu preço acabará por se reduzir ao seu preço natural, embora a procura possa dobrar, triplicar ou quadruplicar. Reduzam-se as custas de manutenção dos homens, reduzindo o preço natural da alimentação das roupas que garantem a vida, e os salários acabarão por se reduzirem, embora a procura de braços possa crescer consideravelmente[33].

É evidente que a linguagem de Ricardo não poderia ser mais cínica. Colocar no mesmo plano os custos da fabricação dos chapéus e os custos da manutenção do homem é transformar o homem em chapéu. Mas não protestemos tanto contra o cinismo. O cinismo está nas coisas, não nas palavras que as exprimem. Escritores franceses como os Srs. Droz, Blanqui, Rossi, entre outros, procuram a inocente satisfação de provar a sua superioridade sobre os economistas ingleses observando a etiqueta de uma linguagem única porque se sentem vexados com a exposição das relações econômicas em toda a sua crueza, como a traição dos mistérios da burguesia.

Resumamos: o trabalho, sendo ele mesmo mercadoria, mede-se como tal pelo tempo de trabalho que é necessário para produzir o trabalho-mercadoria. E o que é preciso para produzir este trabalho--mercadoria? Exatamente o tempo de trabalho necessário para produzir os objetos indispensáveis para a manutenção continua do trabalho, ou seja, para permitir que o trabalhador vivesse e propagasse a sua raça.

O preço natural do trabalho não é outra coisa do que o mínimo do salário[34]. Se o preço corrente do salário se eleva acima do preço natural, é precisamente porque a lei do valor, estabelecida como princípio pelo Sr. Proudhon, vê-se contrabalançada pelas consequências das variações da relação entre a oferta e a procura. Mas o mínimo do salário não deixa de ser o centro em torno do qual gravitam os preços correntes do salário.

Assim, o valor relativo, medido pelo tempo de trabalho, é, fatalmente, a fórmula da escravidão moderna do operário, e não, como pretende o Sr. Proudhon, a "teoria revolucionária" da emancipação do proletariado.

Vejamos, agora, em que casos a aplicação do tempo de trabalho como medida de valor é incompatível com o antagonismo existente entre as classes e com a desigual distribuição do produto entre o trabalhador imediato e o possuidor do trabalho acumulado.

Suponhamos um produto qualquer; por exemplo, o tecido de linho. Esse produto, como tal, encerra uma quantidade determinada de trabalho. Esta será sempre a mesma, qualquer que seja a situação recíproca daqueles que concorreram para criar esse produto.

Tomemos outro produto: um pano de lã, que teria exigido a mesma quantidade de trabalho que o tecido de linho.

Trocados esses dois produtos, ocorreu uma troca de quantidades iguais de trabalho. Trocadas essas quantidades iguais de tempo de trabalho, nada muda na situação recíproca dos produtores, assim como permanece inalterada a situação dos operários e dos fabricantes entre si. Dizer que essa troca de produtos medidos pelo tempo de trabalho resulta na retribuição igualitária de todos os produtores é supor que, antes da troca, existia a igualdade de participação do produto. Quando se realizar a troca do pano de lã pelo tecido de linho, os produtores daquele participarão neste na mesma proporção em que, antes, participaram no pano de lã.

A ilusão do Sr. Proudhon vem de ele tomar como consequência o que, no máximo, não seria mais do que uma suposição gratuita.

Prossigamos.

O tempo de trabalho como medida de valor supõe, pelo menos, que as jornadas são *equivalentes* e que a jornada de um homem vale tanto como a de outro? Não.

Admitamos, por um momento, que a jornada de um joalheiro equivale a três jornadas de um tecelão: sempre que acontecer uma modificação do valor das joias em relação aos tecidos, a menos que se trate de um resultado passageiro das oscilações da oferta e da procura, a causa deverá ser uma diminuição ou aumento do tempo de trabalho empregado por uma ou outra parte na produção. Se três jornadas de trabalho de diferentes trabalhadores estão entre si como 1, 2, 3, qualquer modificação no valor relativo de seus produtos modificará esta relação 1, 2, 3. Assim, é possível medir os valores pelo tempo de trabalho, apesar da desigualdade do valor das diferentes jornadas de trabalho; mas, para aplicar semelhante medida, precisamos ter uma escala comparativa de diferentes jornadas de trabalho – e é a concorrência que estabelece essa escala.

A sua hora de trabalho vale tanto como a minha? Esta é uma questão que só é resolvida pela concorrência.

A concorrência, segundo um economista americano, determina quantas jornadas de trabalho simples estão contidas numa jornada de trabalho complexo. Essa redução de jornadas de trabalho complexo para jornadas de trabalho simples não supõe que o trabalho simples é tomado como medida do valor? No entanto, tomar apenas a quantidade de trabalho como medida de valor, sem levar em conta a quantidade, supõe que o trabalho simples se tornou o pivô da indústria. Supõe que os trabalhos são equalizados pela subordinação do homem à máquina ou pela divisão extrema do trabalho; supõe que o movimento do pêndulo tornou-se a exata medida da atividade relativa de dois operários, da mesma forma que o é da velocidade de duas locomotivas. Então, não é correto dizer que uma hora de um homem equivale à uma hora de outro homem, mas sim que um homem de uma hora vale tanto quanto outro homem de uma hora. O tempo é tudo, o homem não é nada; quando muito ele é uma carcaça do tempo. Não se discute a qualidade. A quantidade decide tudo: hora por hora, jornada por jornada. Mas essa equalização do trabalho não resulta da justiça eterna do Sr. Proudhon: ela é muito simplesmente um fato da indústria moderna.

Na oficina mecanizada, o trabalho de um operário quase não se distingue do trabalho de outro operário: os operários só se distinguem entre si pela quantidade de tempo que dispendem. No entanto, essa diferença quantitativa torna-se, sob certo ponto de vista, qualitativa, visto que o tempo de dedicação ao trabalho depende, parcialmente, de causas puramente materiais, como a constituição física, a idade, o sexo e, em parte, de causas morais puramente negativas como a paciência, a impassibilidade, a assiduidade. Enfim, se há uma diferença de qualidade entre o trabalho dos operários, trata-se, no máximo, de uma qualidade da pior qualidade, o que é longe de ser uma especialidade distintiva. Em última análise, este é o estado de coisas na indústria moderna. E é sobre essa igualdade, já realizada, do trabalho mecanizado que o Sr. Proudhon exibe a sua plaina da "equalização" a realizar-se universalmente no "futuro".

Todas as consequências "igualitárias" que o Sr. Proudhon extrai da doutrina de Ricardo se baseiam num erro fundamental. Ele confunde o valor das mercadorias medidas pela quantidade de trabalho nelas fixado com o valor das mercadorias medido pelo "valor do trabalho". Se essas duas formas de medir o valor se reduzissem a uma só, poder-se-ia dizer indiferentemente: o valor relativo de uma mercadoria qualquer é medido pela quantidade de trabalho nela fixado; ou então: mede-se pela quantidade de trabalho que pode comprar; ou ainda:

mede-se pela quantidade de trabalho que é capaz de comprá-la. Mas as coisas não são assim. O valor do trabalho, como o valor de qualquer outra coisa, não serve para medir o valor. Alguns exemplos serão suficientes para esclarecer melhor o que acabamos de dizer.

Se o moio de trigo custasse duas jornadas de trabalho, ao invés de uma, o seu valor primitivo duplicaria, mas ele não movimentaria o dobro da quantidade de trabalho, porque o seu conteúdo de matéria nutritiva permaneceria a mesma. Assim, o valor do trigo, medido pela quantidade de trabalho empregado para produzi-lo, teria duplicado. Mas, medido pela quantidade de trabalho que pode comprar ou pela quantidade de trabalho que o pode comprar, distaria muito de ter duplicado. Por sua vez, se o mesmo trabalho produzisse o dobro de roupas que antes, o valor relativo delas seria reduzido à metade; todavia, essa quantidade duplicada de roupas nem por isso teria que exigir apenas a metade da quantidade de trabalho, ou o mesmo trabalho não teria que exigir a quantidade duplicada de roupas, porque a metade delas continuaria, ainda, a servir da mesma forma que antes.

Portanto, determinar o valor relativo das mercadorias pelo valor do trabalho é contradizer os fatos econômicos. É mover-se num círculo vicioso; é determinar o valor relativo por um valor relativo que, por sua vez, precisa ser determinado.

É indubitável que o Sr. Proudhon confunde as duas medidas: a medida pelo tempo de trabalho necessário à produção de uma mercadoria e a medida pelo valor do trabalho. "O trabalho de todo homem – afirma – pode comprar o valor que ele encerra." Assim, para o Sr. Proudhon, certa quantidade de trabalho fixado num produto equivale à retribuição do trabalhador, ou seja, ao valor do trabalho. A mesma argumentação autoriza-o a confundir os custos de produção com os salários.

"O que é o salário? É o preço do custo do trigo etc., é o preço integral de todas as coisas." E, mais adiante: "O salário é a proporcionalidade dos elementos que compõem a riqueza". O que é o salário? É o valor do trabalho.

Adam Smith toma como medida do valor ora o tempo de trabalho necessário à produção de uma mercadoria, ora o valor do trabalho. Ricardo desvelou esse erro mostrando claramente a disparidade dessas duas formas de mensuração. O Sr. Proudhon potencializa o erro de Adam Smith identificando as duas coisas, sendo que na outra forma temos uma justaposição.

É para encontrar a justa proporção pela qual os operários devem participar nos produtos, ou, em outras palavras, para determinar o valor relativo do trabalho, que o Sr. Proudhon procura uma medida do valor relativo das mercadorias. Para determinar a medida do valor relativo das mercadorias, ele imagina que o melhor é considerar como equivalente de uma certa quantidade de trabalho a soma de produtos que ele cria, o que significa supor que toda a sociedade se compõe apenas de trabalhadores imediatos, cujo salário é seu próprio produto. Em segundo lugar, ele estabelece, de fato, a equivalência entre as jornadas dos diversos trabalhadores. Em suma, ele procura a medida do valor relativo das mercadorias para encontrar a retribuição igual dos trabalhadores e toma a igualdade dos salários como um dado, do qual parte para procurar o valor relativo das mercadorias. Que admirável dialética!

> Say e os economistas que o seguiram observaram que, estando o próprio trabalho sujeito à avaliação, sendo uma mercadoria como qualquer outra, tomá-lo como princípio e causa eficiente do valor é cair num círculo vicioso. Esses economistas, permitam-me dizê-lo, demonstram uma prodigiosa falta de atenção. Diz-se que o trabalho vale não enquanto mercadoria, mas em função dos valores que se supõe potencialmente contidos nele. O valor do trabalho é uma expressão figurada, uma antecipação da causa sobre o efeito. É uma ficção, do mesmo gênero que a produtividade do capital. O trabalho produz, o capital vale... Por uma espécie de elipse, diz-se o valor do trabalho... O trabalho, como liberdade... é coisa vaga e indeterminada por sua natureza, mas que se define qualitativamente pelo seu objeto, ou seja, torna-se uma realidade pelo produto.

Mas, será preciso insistir? Desde que o economista [leia o Sr. Proudhon] troca o nome das coisas, *vera rerum vocabula*, ele confessa, implicitamente, a sua impotência e elude a questão[35].

Vimos que o Sr. Proudhon faz do valor do trabalho a "causa eficiente" do valor dos produtos, a ponto de, para ele, o *salário*, nome oficial do "valor do trabalho", constituir o preço integral de todas as coisas. É por isso que a objeção de Say o perturba. No trabalho-mercadoria, que é uma realidade espantosa, ele vê apenas uma elipse gramatical. Logo, toda a sociedade atual, fundada no trabalho-mercadoria, passa a embasar numa licença poética, numa expressão figurada. A sociedade pretende "eliminar todos os inconvenientes" que a atormentam? Muito bem! Basta-lhe eliminar os termos inconvenientes, alterar a linguagem e dirigir-se à Academia, encomendando-lhe uma nova edição do seu dicionário. Depois disso tudo, é fácil compreender por que o Sr. Proudhon, numa obra de economia política, sentiu-se obrigado a dissertar longamente sobre etimologia e outras partes da gramática. Por isso, não superou a fase da sábia polêmica contra a velha derivação de *servus* a *servare*. Essas dissertações filológicas têm um sentido profundo, um sentido esotérico, constituindo uma parte essencial da argumentação do Sr. Proudhon.

O trabalho, enquanto vendido e comprado, é uma mercadoria como outra qualquer e, consequentemente, tem um valor de troca. Mas o valor do trabalho, ou o trabalho, enquanto mercadoria, é tão pouco produtivo como é pouco nutritivo o valor do trigo, ou o trigo, enquanto mercadoria.

O trabalho, a força de trabalho, enquanto vendido e comprado, é uma mercadoria como outra qualquer e, consequentemente, tem um valor de troca. Mas o valor do trabalho, ou o trabalho, enquanto mercadoria, é tão pouco produtivo como é pouco nutritivo o valor do trigo, ou o trigo, enquanto mercadoria.

O trabalho "vale" mais ou menos conforme os gêneros alimentícios sejam mais ou menos caros, segundo o nível dado da oferta e da procura de braços etc. etc.

O trabalho nunca é uma "coisa vaga": é sempre um trabalho determinado; jamais se compra ou se vende trabalho em geral. E não é somente o trabalho que se define qualitativamente pelo objeto, mas igualmente o objeto é determinado pela quantidade específica do trabalho.

O trabalho, enquanto é vendido e comprado, constitui, ele mesmo, uma mercadoria. Por que ele é comprado? "Em função dos valores que se supõe potencialmente contidos nele." Mas quando se diz que uma coisa é mercadoria, já não se trata da finalidade para a qual é comprada, ou seja, da utilidade que se pretende extrair dela, da utilização a que ela se destina. Ela é mercadoria como objeto de tráfico. Todos os raciocínios do Sr. Proudhon se resumem nisto: o trabalho não é comprado como objeto imediato de consumo. Claro que não: ele é comprado como instrumento de produção, como se compraria uma máquina. Enquanto mercadoria, o trabalho vale, mas não produz. O Sr. Proudhon poderia dizer igualmente que não existe mercadoria, já que toda mercadoria é comprada com uma finalidade de utilidade qualquer e nunca enquanto mercadoria.

Medindo o valor das mercadorias pelo trabalho, o Sr. Proudhon vislumbra vagamente a impossibilidade de subtrair a esta mesma medida o trabalho, enquanto encerra um valor, enquanto trabalho-mercadoria. Ele pressente que isso equivale a fazer do mínimo do salário o preço natural e normal do trabalho imediato, o que significa aceitar o estado atual da sociedade. Assim, para escapar a essa consequência fatal, faz meia-volta e pretende que o trabalho não seja uma mercadoria, pretende que ele não possua um valor. Esquece-se de que ele mesmo tomou como medida o valor do trabalho; esquece-se de que todo o seu sistema se funda no trabalho-mercadoria, no trabalho que se troca, se vende e se compra, se permuta por produtos etc.; enfim, no trabalho que é uma fonte imediata de rendimentos para o trabalhador. Ele se esquece de tudo.

Para salvar seu sistema, admite o sacrifício de sua base.

Et propter vivendi perdere causas[36].

Chegamos, agora, a uma nova determinação do "valor constituído". "O valor é a *relação de proporcionalidade* dos produtos que compõem a riqueza."

Observemos, antes de tudo, que as simples palavras "valor relativo ou permutável" implicam a ideia de uma relação qualquer, na qual os produtos se trocam reciprocamente. Designando-a por "relação de proporcionalidade", não se modifica o valor relativo, mas apenas a sua expressão. Nem a depreciação nem a elevação do valor de um produto eliminam a sua propriedade de entrar em uma "relação de proporcionalidade" qualquer com outros produtos que constituem a riqueza.

Por que, então, esta nova designação, que não introduz uma nova ideia?

A "relação de proporcionalidade" sugere muitas outras relações econômicas, como a proporcionalidade da produção, a justa proporção entre a oferta e a demanda etc., e o Sr. Proudhon pensou em tudo isso ao formular essa paráfrase didática do valor venal.

Em primeiro lugar, já que o valor relativo dos produtos é determinado pela quantidade comparativa de trabalho empregado em sua produção, a relação de proporcionalidade, aplicada a esse caso especial, significa a quantidade respectiva de produtos que podem ser fabricados em um tempo dado e que, consequentemente, se trocam.

Vejamos qual conclusão o Sr. Proudhon extrai dessa relação de proporcionalidade.

Todo mundo sabe que, quando a oferta e a procura se equilibram, o valor relativo de um produto qualquer é exatamente determinado pela quantidade de trabalho nele contido, ou seja, o valor relativo exprime a relação de proporcionalidade precisamente no sentido que acabamos de esclarecer. O Sr. Proudhon inverte a ordem das coisas. Comece-se, diz ele, por medir o valor relativo de um produto pela quantidade de trabalho contido e, então, a oferta e a demanda infalivelmente se equilibrarão. A produção corresponderá ao consumo, e o produto será sempre permutável. Seu preço corrente expressará com exatidão o seu justo valor. Ao invés de dizer como todo mundo "quando faz bom tempo, vemos muita gente passeando", o Sr. Proudhon manda a sua gente passear para lhe garantir bom tempo.

Aquilo que o Sr. Proudhon apresenta como consequência do valor venal determinado *a priori* pelo tempo de trabalho só poderia ser justificado por uma lei expressa mais ou menos nos seguintes termos:

Os produtos, de agora em diante, serão trocados na razão exata do tempo de trabalho que exigiram; qualquer que seja a relação entre a oferta e a procura, a troca de mercadorias far-se-á sempre como se elas fossem produzidas proporcionalmente à demanda. Se o Sr. Proudhon formular e fizer aprovar uma lei semelhante, nós o dispensaremos das provas. Mas se, ao contrário, ele insistir em justificar a sua teoria, não como legislador, mas como economista, então terá como provar que o tempo necessário para criar uma mercadoria indica exatamente o seu grau de utilidade e expressa a sua relação de proporcionalidade à demanda e, por consequência, ao conjunto das riquezas. Neste caso, se um produto é vendido por um preço igual aos seus custos de produção, a oferta e a procura se equilibrarão sempre, porque se considera que os custos de produção exprimem a verdadeira relação entre a oferta e a demanda.

Efetivamente, o Sr. Proudhon se esforça para provar que o tempo de trabalho requerido para criar um produto expressa a sua justa proporção às necessidades, de tal forma que as coisas cuja produção exige menos tempo são as mais imediatamente úteis, e assim por diante, gradualmente. A simples produção de um objeto de luxo comprova, de acordo com essa doutrina, que a sociedade dispõe de um tempo excedente que lhe permite satisfazer a uma necessidade de luxo.

A demonstração de sua tese, o Sr. Proudhon encontra-a na observação de que as coisas mais úteis custam menos tempo de produção, que a sociedade começa sempre pelas indústrias mais fáceis e que sucessivamente ela

> se dedica à produção de objetos que exigem mais tempo de trabalho e que correspondem a necessidades de uma ordem mais elevada.

O Sr. Proudhon toma do Sr. Dumoyer o exemplo da indústria extrativa – coleta, pastoreio, caça, pesca etc. –, que é a mais simples, a menos onerosa e pela qual o homem começou "o primeiro dia de sua segunda criação". O primeiro dia da sua criação está consignado no Gênesis, que nos apresenta Deus como o primeiro industrial do mundo.

As coisas se passam muito diferentemente do que pensa o Sr. Proudhon. No momento mesmo onde a civilização começa, a produção começa a se fundar no antagonismo entre as ordens, os estamentos, as classes e, enfim, no antagonismo entre trabalho acumulado e trabalho imediato. Sem antagonismo não há progresso. Essa é a lei a que se submeteu, até hoje, a civilização. Até o presente, as forças produtivas se desenvolveram graças ao regime antagônico das classes. Afirmar agora que, estando satisfeitas todas as necessidades de todos os trabalhadores, os homens puderam dedicar-se à criação de produtos de uma ordem superior, a indústrias mais complexas, é abstrair o antagonismo entre as classes e subverter todo o desenvolvimento histórico. É como se se quisesse afirmar que, como se criavam moreias em aquários, sob os imperadores romanos, a população de Roma estava fartamente alimentada; ao contrário, enquanto o povo romano não tinha como comprar pão, aos aristocratas sobravam escravos que se ofereciam como pasto às moreias.

O preço dos víveres aumentou quase continuamente, enquanto o preço dos objetos manufaturados e de luxo baixou continuamente. Observe-se a própria indústria agrícola: os produtos mais indispensáveis, como o trigo, a carne etc. aumentaram de preço, enquanto o algodão, o açúcar, o café etc. têm seus preços continuamente reduzidos, numa proporção surpreendente. E mesmo entre os comestíveis propriamente ditos, os de luxo, como as alcachofras, os aspargos etc. são hoje relativamente mais baratos que os de primeira necessidade. Atualmente, é mais fácil produzir o supérfluo que o necessário. Finalmente, nas diversas épocas históricas, as relações recíprocas dos preços não são apenas diferentes, mas opostas. Durante toda a Idade Média, os produtos agrícolas eram relativamente mais baratos que os produtos manufaturados; modernamente, eles estão em razão inversa. É de se concluir que, desde a Idade Média, a utilidade dos produtos agrícolas está diminuindo?

O uso dos produtos é determinado pelas condições sociais em que se encontram os consumidores, e essas condições se fundam no antagonismo entre as classes.

O algodão, a batata e a aguardente são produtos de uso muito corrente. As batatas provocaram as escrófulas; o algodão, em larga medida, substituiu o linho e a lã, embora esses últimos fossem de uma maior utilidade em muitos casos, ainda que somente do ponto de vista da higiene; enfim, a aguardente impôs-se à cerveja e ao vinho, mesmo que seu uso como alimento seja geralmente reconhecido como venenoso. Durante um século, os governos lutaram inutilmente contra o ópio europeu; a economia prevaleceu e ditou suas ordens ao consumo.

Por que, então, o algodão, a batata e a aguardente são as pedras angulares da sociedade burguesa? Porque, para produzi-los, é necessário menos trabalho e, consequentemente, eles são mais baratos. Por que o mínimo de preço determina o máximo de consumo? Seria, por acaso, em função da utilidade absoluta desses produtos, da sua utilidade intrínseca, da sua utilidade enquanto melhor correspondência às necessidades do operário como homem, e não do homem enquanto operário? Não; é porque, numa sociedade fundada na *miséria*, os produtos mais *miseráveis* tem a prerrogativa fatal de servir ao uso da grande maioria.

Dizer, pois, que pelo fato das coisas mais baratas serem as mais usadas, elas devem ser da maior utilidade, significa dizer que o uso tão generalizado da aguardente, em função dos poucos custos da produção, é a prova mais concludente da sua utilidade; significa dizer ao proletário que a batata é mais saudável que a carne; significa aceitar o estado de coisas vigentes – significa, enfim, fazer, como o Sr. Proudhon, apologia de uma sociedade sem compreendê-la.

Numa sociedade futura, onde desapareça o antagonismo entre as classes, onde não existam mais classes, o uso não será mais determinado pelo *minimum* do tempo de produção: o tempo de produção consagrado aos diferentes produtos será determinado pelo seu grau de utilidade social.

Retornando à tese do Sr. Proudhon na qual se o tempo de trabalho necessário à produção de um objeto não expressa o seu grau de utilidade, o seu valor de troca determinado previamente pelo tempo de trabalho nele fixado, esse tempo não poderia nunca regular a justa relação entre a oferta e a procura, ou seja, a relação de proporcionalidade no sentido que, agora, o Sr. Proudhon lhe atribui.

Não é a venda de um produto qualquer ao preço dos seus custos de produção que constitui a "relação de proporcionalidade" entre a oferta e a procura ou a parte proporcional deste produto face ao conjunto da produção; são as *variações da procura e da oferta* que indicam ao produtor em que quantidade é preciso produzir certa mercadoria para receber, em troca, pelo menos os custos de produção. E como essas variações são contínuas, há também um contínuo movimento de fluxo e refluxo de capitais nos diferentes ramos da indústria.

> *Somente graças a tais variações é que os capitais são aplicados precisamente na proporção requerida, e não além dela, para a produção de diferentes mercadorias para as quais existe procura. Com a alta ou a queda dos preços, os lucros se elevam ou caem em relação ao seu nível geral e, em consequência, os capitais são atraídos ou desviados do emprego particular que experimenta uma ou outra dessas variações. Se observarmos os mercados das grandes cidades, veremos a regularidade com que são abastecidos com todos os tipos de mercadorias, nacionais e estrangeiras, na quantidade requerida, sejam quais forem as alterações da procura por ação do capricho, do gosto ou da variação da população, e sem que ocorra, frequentemente, abarrotamento por um fornecimento superabundante ou excessivo encarecimento ocasionado por um fornecimento diminuto em relação à procura: deve-se reconhecer que o princípio que distribui o capital em cada ramo da indústria, nas proporções exatamente convenientes, é mais poderoso do que se supõe em geral[37].*

Se o Sr. Proudhon aceita o valor dos produtos como determinados pelo tempo de trabalho, deve aceitar, igualmente, o movimento oscilatório que, somente ele, faz do trabalho a medida do valor. Não há "relação de proporcionalidade" já constituída; há um movimento constituinte.

Acabamos de ver em que sentido é correto falar-se da "proporcionalidade" como de uma consequência do valor determinado pelo tempo de trabalho. Veremos agora como essa medida pelo tempo, denominada "lei da proporcionalidade" pelo Sr. Proudhon, transforma-se em lei de desproporcionalidade.

Toda invenção nova que permite produzir em uma hora o que antes se produzia em duas deprecia todos os produtos similares que se encontram no mercado. A concorrência força o produtor a vender o produto de duas horas tão barato como o de uma hora. A concorrência realiza a lei segundo a qual o valor relativo de um produto é determinado pelo tempo de trabalho necessário para produzi-lo. O tempo de trabalho que serve como medida do valor venal transforma-se, assim, em lei de uma depreciação contínua do trabalho. Diremos mais: haverá depreciação não só para as mercadorias lançadas no mercado, mas também para os instrumentos de produção e para toda a fábrica. Esse fato foi assinalado já por Ricardo:

> *Aumentando constantemente a facilidade de produção, diminuímos constantemente o valor de algumas das coisas produzidas anteriormente*[38].

Sismondi vai mais longe. Neste "valor constituído" pelo tempo de trabalho, ele vê a fonte de todas as contradições da indústria e do comércio modernos.

> *O valor mercantil, diz ele, é sempre fixado, em última análise, pela quantidade de trabalho necessário para se obter a coisa avaliada: não a quantidade que exige atualmente, mas a quantidade que exigiria de hoje em diante, talvez com meios mais aperfeiçoados; e esta quantidade, mesmo difícil de ser calculada, é sempre estabelecida com fidelidade pela concorrência... É sobre esta base que se calcula quer a demanda do vendedor, quer a oferta do comprador. O primeiro*

*afirmará, talvez, que a coisa custou-lhe
dez jornadas de trabalho; mas se o
outro reconhece que, daí em diante, ela
pode ser obtida com oito jornadas e se a
concorrência demonstra este fato aos dois
contratantes, então o valor reduzir-se-á a
oito jornadas apenas e o preço do mercado
estabelecer-se-á sobre essa base. É certo que
ambos os contratantes têm a noção de
que a coisa é útil, que é desejada e que
sem este desejo não haveria venda, mas a
fixação do preço não mantém nenhuma
relação com a utilidade[39].*

É importante insistir sobre este ponto: o que determina o valor não é o tempo de produção de uma coisa, mas o *minimum* de tempo no qual ela pode ser produzida, e esse *minimum* é constatado pela concorrência. Suponha-se, por um instante, que a concorrência não exista e que, consequentemente, não haja como verificar o *minimum* de trabalho necessário para a produção de uma mercadoria. O que acontecerá? Bastará aplicar na produção de um objeto seis horas de trabalho para se ter o direito, segundo o Sr. Proudhon, de exigir em troca seis vezes mais do que aquele que, na produção do mesmo objeto, só aplicou uma hora.

Em vez de uma "relação de proporcionalidade", temos uma relação de desproporcionalidade, se insistimos em ficar nas relações, boas ou más.

A depreciação contínua do trabalho é apenas um aspecto, uma consequência da avaliação dos artigos pelo tempo de trabalho. O excessivo aumento dos preços, a superprodução e muitos outros fenômenos da anarquia industrial são interpretáveis por esse mesmo modo de avaliação.

Mas o tempo de trabalho como medida do valor dá origem, pelo menos, à variedade proporcional dos produtos, que tanto encanta o Sr. Proudhon?

Muito ao contrário, o monopólio, com toda a sua monotonia, vem, seguindo-se a ela, invadir o mundo dos produtos, do mesmo modo como, à vista de todos, invadiu o mundo dos instrumentos de produção. Apenas alguns ramos industriais, como a indústria algodoeira, podem fazer progressos muito rápidos. A consequência natural desses progressos é que os produtos da manufatura algodoeira, por exemplo, têm os seus preços rapidamente reduzidos; mas, na medida em que o preço do algodão cai, o do linho, comparativamente, deve elevar-se. O que resultará disso? O linho será substituído pelo algodão. Desse modo, o linho foi abandonado em quase toda a América do Norte. E alcançamos, em lugar da variedade proporcional dos produtos, o reino do algodão.

O que sobra da "relação de proporcionalidade"? Nada mais que o desejo de um homem honesto, que gostaria que as mercadorias se produzissem em proporções tais que pudessem ser vendidas a um preço honesto. Os bons burgueses e os economistas filantropos, sempre, gostaram de formular esse desejo inocente.

Deixemos falar o velho Boisguillebert:

> *O preço das mercadorias [diz ele] deve ser sempre proporcionado, uma vez que só este acordo pode permitir-lhes existir em conjunto, para se trocarem entre si a todo o momento [eis a permutabilidade contínua do Sr. Proudhon] e se reproduzirem entre homem e homem, entre profissão e profissão etc.; constitui uma espantosa cegueira procurar a causa da miséria fora do fim de*

um comércio semelhante, ocasionada pela
desordem das proporções nos preços[40].

Ouçamos também um economista moderno:

Uma grande lei que se deve aplicar à produção é a lei da proporcionalidade (the law of proportion), que é a única que pode preservar a continuidade do valor... O equivalente deve ser garantido... Todas as nações tentaram, em diversas épocas, através de numerosos regulamentos e restrições comerciais, realizar até um certo ponto esta lei da proporcionalidade; mas o egoísmo, inerente à natureza humana do homem, levou-o a submeter todo este regime regulamentar. Uma produção proporcionada (proporcionate production) constitui a realização da verdade plena da ciência da economia social.[41]

Fuit Troja![42] Esta justa proporção entre a oferta e a demanda, que volta a ser objeto de tantos votos, há muito que deixou de existir, tornou-se uma velharia. Ela só foi possível em épocas nas quais os meios de produção eram restritos, nas quais a troca se operava em limites extremamente pequenos. Com o aparecimento da grande indústria, essa justa proporção teve que acabar, e a produção é fatalmente obrigada a passar, numa sucessão perpétua, pelas vicissitudes de prosperidade, depressão, crise, estagnação, nova prosperidade, e assim por diante.

Aqueles que, como Sismondi, querem retornar à justa proporcionalidade da produção conservando as bases atuais da sociedade são reacionários porque, para serem consequentes, deveriam também pretender o restabelecimento de todas as outras condições da indústria dos tempos passados.

O que mantinha a produção em proporções justas ou quase justas? Era a procura, que determinava a oferta e a precedia. A produção, passo a passo, acompanha o consumo. A grande indústria, forçada, pelos próprios instrumentos de que dispõe, a produzir[43] numa escala cada vez maior, não pode mais esperar pela procura. A produção precede o consumo, a oferta pressiona a procura.

Na sociedade atual, na indústria fundada nas trocas individuais, a anarquia da produção, que é a fonte de tantas misérias, é, ao mesmo tempo, a fonte de todo progresso.

Assim, das duas, uma: ou se deseja a justa proporção dos séculos passados com os meios de produção da nossa época, e se é simultaneamente reacionário e utopista; ou se deseja o progresso sem anarquia e, neste caso, para conservar as forças produtivas, se é obrigado a abandonar as trocas individuais.

As trocas individuais só são compatíveis com a pequena indústria dos séculos passados, com o seu corolário da "justa proporção", ou ainda com a grande indústria atual e com todo o seu cortejo de miséria e anarquia.

Depois de tudo que dissemos, constata-se que a determinação do valor pelo tempo de trabalho, ou seja, a fórmula que o Sr. Proudhon nos oferece como a fórmula regeneradora do futuro, não é mais a expressão científica das relações econômicas da sociedade atual, como, bem antes do Sr. Proudhon, Ricardo demonstrou clara e nitidamente.

Mas, pelo menos, não cabe ao Sr. Proudhon a aplicação "igualitária" desta fórmula? Não é ele o primeiro a imaginar a reforma da sociedade transformando todos os homens em trabalhadores imediatos, trocando iguais quantidades de trabalho? Não tem o direito de censurar aos comunistas – essa gente desprovida de qualquer conhecimento de economia política, esses homens "obstinadamente idiotas", esses "sonhadores paradisíacos" não o terem encontrado, antes dele, essa "solução dos problemas do proletariado"?

Qualquer um minimamente familiarizado com o movimento da economia política na Inglaterra não ignora que quase todos os socialistas deste país, em épocas diferentes, propuseram a aplicação igualitária da teoria ricardiana. Poderíamos citar ao Sr. Proudhon: L'*Économie politique* de Hodgskins[44],1822; *An Inquiry into the Principles to the Distribution of Wealth, most Conducive to Human Happiness*, de William Thompson, 1824[45]; *Pratical Moral and Political Economy*, de T.R. Edmonds, 1828, etc. etc. e quatro páginas de etc. Contentar-nos-emos em dar a palavra a um comunista inglês, o Sr. Bray. Citaremos as passagens decisivas da sua notável obra: *Labour's Wrongs and Labour's Remedy* (Leeds, 1839); e Bray é ainda pouco conhecido na França e, depois, porque acreditamos encontrar nele a chave das obras passadas, presentes e futuras do Sr. Proudhon.

> *O único meio para chegar à verdade consiste em abordar frontalmente os primeiros princípios. Retornemos diretamente à fonte de que derivam os próprios governos. Indo assim à origem da coisa, verificaremos que toda forma de governo, toda injustiça social e governamental provêm do sistema social hoje vigente – da instituição da propriedade tal como existe atualmente* (the institution of property as it at present exists) *e que, portanto, para acabar definitivamente com as injustiças e misérias atuais, é necessário* subverter inteiramente o

estado contemporâneo da sociedade...
*Atacando os economistas em seu próprio
terreno e com as suas próprias armas,
evitaremos a absurda tagarelice sobre os*
visionários e os teóricos, *a que sempre
estão dispostos a se entregar. Exceto negando
ou desaprovando as verdades e os princípios
reconhecidos, sobre os quais fundam os
seus próprios argumentos, os economistas
não poderão rejeitar as conclusões a que
chegamos por este método*[46].

Somente o trabalho cria valor (It is
labour alone wich bestows value)...
*Cada homem tem um direito indubitável
a tudo o que seu trabalho honesto pode
lhe proporcionar. Apropriando-se assim
dos frutos do seu trabalho, ele não comete
nenhuma injustiça para com os outros
homens, porque não usurpa de ninguém o
direito de fazer o mesmo... Todas as ideias
de superioridade, de patrão e assalariado,
originam-se da negligência desses primeiros
princípios e porque, consequentemente, a*
desigualdade *se introduziu na posse* (and
to the consequente rise of inequality of
possessions). *Enquanto se mantiver esta
desigualdade, será impossível erradicar
tais ideias ou subverter as instituições
nela fundadas. Até hoje, sempre se teve a
inútil esperança de remediar um estado
de coisas contrárias à natureza, tal como
o que nos domina agora, destruindo a
desigualdade existente e deixando subsistir
a causa da desigualdade; porém, nós logo
demonstraremos que o governo não é uma
causa, mas um efeito, que ele não cria,
mas é criado – que, numa palavra, ele é o
resultado da desigualdade na posse* (the
offspring of inequality of possessions),
*e que esta está inseparavelmente ligada ao
sistema social atual*[47].

*O sistema da igualdade tem a seu favor
não apenas grandes vantagens, mas ainda
a estrita justiça... Cada homem é um elo, é
um elo indispensável, na cadeia de efeitos
que parte de uma ideia para conduzir,
e gostos pelas diferentes profissões não
são idênticos, não se pode concluir que o
trabalho de um deva ser melhor retribuído
que o do outro. O inventor receberá sempre,
além da sua justa recompensa em dinheiro,
o tributo da nossa admiração, que somente
o gênio pode merecer de nós...*

*Pela natureza mesma do trabalho e da
troca, a estrita justiça exige que todos
aqueles que trocam obtenham benefícios
não apenas mútuos, mas iguais* (all
exchangers shoud be not only mutually
but they shoud likewise be equally
benefitted). *Só existem duas coisas
que os homens podem trocar entre si: o
trabalho e o produto do trabalho. Se as
trocas se operassem segundo um sistema
equitativo, o valor de todos os artigos
seria determinado pelos seus custos de
produção completos e valores iguais
sempre se trocariam por valores iguais* (If
a just system of exchanges were acted
upon, the value of all articles would
be determined by the entire cost of
production, and equal values shoud
always exchang for egual values). *Se,
por exemplo, um chapeleiro investe uma
jornada para fazer um chapéu e um
sapateiro o mesmo tempo para fabricar um
par de sapatos (supondo que a matéria-
prima que empregam tenha igual valor) e
se trocam estes artigos entre si, o benefício
que obtêm é, simultaneamente, mútuo e
igual. A vantagem alcançada por cada
um não pode constituir uma
desvantagem para a outro, já que*

cada qual forneceu a mesma quantidade de trabalho e que os materiais de que se serviram eram de igual valor. Mas se o chapeleiro, mantidas as condições acima expostas, obtivesse dois pares de sapatos contra um chapéu, é evidente que a troca seria injusta. O chapeleiro usurparia ao sapateiro uma jornada de trabalho; e se agisse assim em todas as suas trocas, receberia pelo trabalho de meio ano o produto de um ano inteiro de outra pessoa. Até aqui, continuamos sempre com este sistema de troca soberanamente injusto: os operários *forneceram ao capitalista o trabalho de um ano inteiro em troca do valor de meio ano* (the workman have given the capitalist the labor of a whole year, in exchange for the value of only half a year) – *disto, e não de uma suposta desigualdade entre as forças físicas e intelectuais dos indivíduos, é que provém a desigualdade de riqueza e poder. A desigualdade nas trocas, a diferença de preços nas compras e vendas só podem existir enquanto os capitalistas continuam capitalistas e os operários permanecem operários – uns, uma classe de tiranos; outros, uma classe de escravos... Esta transação prova, portanto, que os capitalistas e os proprietários apenas oferecem ao operário, pelo seu trabalho de uma semana, uma parte da riqueza que obtiveram dele na semana anterior; ou seja, por alguma coisa, não lhe dão nada* (nothing for something)... *A transação entre o trabalhador e o capitalista é uma verdadeira comédia: de fato, em muitas circunstâncias, ela não passa de um roubo vergonhoso, embora legal* (The whole transaction between the producer and the capitalist is a mere farce: it is, in fact, in thousands of instances, no other than a berefaced though legal <u>robbery</u>)[48].

O lucro do empresário jamais deixará de ser uma perda para o operário – até que as trocas entre as partes sejam iguais. E as trocas não podem ser iguais enquanto a sociedade estiver dividida entre capitalistas e produtores, estes vivendo do seu trabalho e aqueles se enchendo com o lucro deste trabalho.

É claro que, estabecendo-se tal ou qual forma de governo... pregando a moral e o amor fraterno... a reciprocidade continuará incompatível com a desigualdade nas trocas. Esta desigualdade das trocas é a fonte da desigualdade das posses, é o inimigo secreto que nos devora.
(No reciprocity can exist where there are unequal exchanges. Inequality of exchanges, as being the cause of inequality of possessions, is the secret enemy that devours us.)

... A consideração do objetivo e da finalidade da sociedade autoriza-me a concluir que não só todos os homens devem trabalhar e, assim, poder trocar como, também, que valores iguais devem trocar-se por valores iguais. Ademais, como o lucro de um não deve ser a perda para o outro, o valor deve se determinar pelos custos da produção. Entretanto, vimos que, sob o regime social atual, o lucro do capitalista e do homem rico é sempre uma perda para o operário – e que este resultado é uma consequência inevitável, com o pobre permanecendo inteiramente abandonado, à mercê do rico, sob qualquer forma de governo, enquanto subsistir a desigualdade nas trocas –, e que a igualdade nas trocas só pode ser assegurada por um regime social que reconheça a universalidade do trabalho... A igualdade nas trocas transferiria gradualmente a

riqueza das mãos dos capitalistas para as
das classes operárias[49].

Enquanto esse sistema de desigualdade
de trocas se mantiver em vigor, os
produtores serão sempre tão pobres,
tão ignorantes, tão sobrecarregados de
trabalho como o são hoje, mesmo que
sejam abolidas todas as taxas, todos
os impostos governamentais. *Somente*
uma transformação total de sistema, a
introdução da igualdade no trabalho e
nas trocas, pode melhorar este estado de
coisas e assegurar aos homens a verdadeira
igualdade de direitos... Os produtores só
tem que fazer um esforço – e os esforços
para sua salvação devem ser realizados
por eles mesmos – e suas cadeias serão
rompidas para sempre... Como objetivo,
a igualdade é um erro; mesmo como
meio, também é um erro (As an end, the
political equality is there a failure; as a
means, also, it is there a failure).

Com a igualdade nas trocas, o lucro de
um não pode ser a perda do outro: porque
toda troca não é mais que uma simples
transferência de trabalho e de riqueza, não
exige nenhum sacrifício. Assim, sob um
sistema social fundado na igualdade das
trocas, o produtor poderá também alcançar
a riqueza através das suas economias;
mas a sua riqueza será apenas o produto
acumulado do seu próprio trabalho. Ele
poderá trocar a sua riqueza ou doá-la a
outrem, mas ser-lhe-á impossível continuar
rico, por um período mais longo, depois de
abandonar o trabalho. Dada a igualdade
nas trocas, a riqueza perde seu poder atual
de renovar-se e reproduzir-se, por assim
dizer, graças a si mesma: ela não poderá

mais suprir o vazio gerado pelo consumo porque, exceto quando reproduzida pelo trabalho, a riqueza consumida se perde definitivamente. O que hoje denominamos lucro e juros não poderá existir sob o regime da igualdade na troca. Então, o produtor e o distribuidor serão igualmente recompensados e a soma total do seu trabalho é que servirá para determinar o valor de todo artigo criado e posto à disposição do consumidor...

O princípio da igualdade nas trocas deve, portanto, pela sua própria natureza, conduzir ao trabalho universal[50].

Depois de refutar as objeções dos economistas contra o *comunismo*, o Sr. Bray prossegue assim:

Se uma mudança de caráter é indispensável para fazer triunfar um sistema social de comunidade na sua forma perfeita; e se, ademais, o regime social atual não apresenta nem as circunstâncias nem as facilidades para a consecução daquela transformação e para preparar os homens para o estado melhor que todos desejamos, é evidente que as coisas devem, necessariamente, permanecer como estão, a menos que se descubra e aplique um termo social preparatório – um movimento que tanto participe do sistema atual como do sistema futuro (o sistema da comunidade) –, um estágio intermediário a que a sociedade possa chegar, com todos os seus excessos e loucuras, e do qual possa sair em seguida, rica de qualidades e atributos que são as condições vitais do sistema da comunidade[51].

Todo este movimento exigiria apenas a cooperação na sua forma mais simples... Os custos de produção determinariam, em todas as circunstâncias, o valor do produto, e valores iguais sempre

*se trocariam por valores iguais. Se, de
duas pessoas, uma houvesse trabalhado
uma semana inteira e, a outra, meia
semana, a primeira receberia o dobro
da remuneração da segunda; mas este
excedente de pagamento não seria feito
uma às expensas da outra: a perda de uma
não redundaria em ganho para a outra.
Cada pessoa trocaria o salário que recebeu
individualmente por objetos de valor
idêntico ao seu salário e, em nenhum caso,
o lucro realizado por um homem ou por
uma indústria constituiria um prejuízo
para outro homem ou para outro ramo
industrial. O trabalho de cada indivíduo
seria a única medida dos seus lucros e dos
seus prejuízos...*

*Através de escritórios (boards of trade)
centrais e locais, determinar-se-ia a
quantidade dos diferentes objetos exigidos
pelo consumo e o valor relativo de cada
objeto em comparação com os outros (o
número de operários a empregar nos
diferentes ramos de trabalho), resumindo:
tudo o que se relaciona à produção e à
distribuição social. Essas operações seriam
realizadas, num país, com a mesma rapidez
e facilidade com que, hoje, se fazem numa
empresa particular. Os indivíduos se
agrupariam em famílias, as famílias em
comunas, como no regime atual... sequer se
aboliria a distribuição da população entre
cidade e campo, por pior que ela seja. Nessa
associação, cada indivíduo continuaria
a desfrutar da liberdade, que possui hoje,
de acumular como melhor lhe parecer e de
utilizar como quiser essas acumulações...
Nossa sociedade será, por assim dizer, uma
grande sociedade por ações, composta por
um número infinito de menores sociedades*

*por ações que trabalharam, produziram
e trocaram seus produtos à base da mais
perfeita igualdade... Nosso novo sistema
de sociedade por ações, que não passa de
uma concessão à sociedade atual para
chegar ao comunismo, estabelecido de
forma a permitir a propriedade privada
dos produtos com a propriedade em comum
das forças produtivas, subordina a sorte
de cada um à sua própria atividade e
lhe concede uma parte igual em todas as
vantagens propiciadas pela natureza e pelo
progresso das artes. Por isso, este sistema
pode aplicar-se à sociedade tal como existe e
preparála para ulteriores mudanças*[52].

Poucas palavras nos serão suficientes para responder ao Sr. Bray, que, independentemente da nossa vontade, suplantou o Sr. Proudhon com a simples diferença: longe de pretender proferir a última palavra da humanidade, o Sr. Bray apenas propõe as medidas que lhe parecem boas para uma época de transição entre a sociedade atual e o regime da comunidade.

Uma hora de trabalho de Pedro se troca por uma hora de trabalho de Paulo. Este é o axioma fundamental do Sr. Bray.

Suponhamos que Pedro tenha a seu favor doze horas de trabalho e Paulo apenas seis: neste caso, Pedro só poderá fazer com Paulo uma troca de seis por seis. Consequentemente, restam a Pedro seis horas de trabalho. O que há de se fazer com elas?

Ou não se fará nada, o que significa que terá trabalhado inutilmente, ou deixará de trabalhar outras seis horas para restabelecer o equilíbrio ou, então – e esta é sua última alternativa –, dará a Paulo essas seis horas, como acréscimo, já que nada pode fazer com elas, para além do mercado.

103

Assim, no final de contas, o que Pedro ganhará comparativamente a Paulo? Não se trata de horas de trabalho, mas de lazer: ganhou horas de ócio – seis horas em que não trabalhará. Mas, para que esse novo direito ao ócio não seja apenas utilizado, mas também apreciado, na nova sociedade, é preciso que esta encontre a sua mais alta felicidade na preguiça, é preciso que o trabalho se lhe pareça como um castigo do qual ela deva livrar-se a qualquer preço. E, voltando ao nosso exemplo: se, ao menos, as seis horas de lazer que Pedro teve a mais sobre Paulo fossem um ganho real! Mas não: Paulo, começando com um excesso de trabalho, todos desejarão ser Paulo; haverá concorrência para conquistar o lugar de Paulo, uma concorrência pela preguiça.

Pois bem! O que nos ofereceu a troca de quantidades iguais de trabalho? Superprodução, depreciação, excesso de trabalho seguido de inatividade, enfim: as relações econômicas tais como as vemos constituídas na sociedade atual, exceto a concorrência pelo trabalho.

Mas não, nós nos enganamos. Haverá ainda um expediente que poderá salvar a sociedade nova, a sociedade dos Pedro e dos Paulo. Pedro consumirá sozinho o produto das seis horas de trabalho que lhe restam. E a partir do momento em que não precisa trocar por ter produzido, ele já não precisa produzir para trocar: toda a suposição de uma sociedade fundada na troca e na divisão do trabalho cai por terra. Salva-se a igualdade das trocas porque as trocas deixam de existir: Pedro e Paulo alcançam a condição de Robinson.

Portanto, caso se suponha todos os membros da sociedade como trabalhadores imediatos, a troca de quantidades iguais de horas de trabalho só é possível caso se convencione, previamente, o número de horas que será necessário empregar na produção material. Mas semelhante convenção nega a troca individual.

Chegamos também à mesma consequência se partimos não mais da distribuição dos produtos criados, mas do ato da produção. Na grande indústria, Pedro não tem a liberdade para fixar por sua conta o tempo do seu trabalho, já que este não é nada sem o concurso de todos os Pedros e Paulos que formam a fábrica. É isto que esclarece muito bem a obstinada resistência que os fabricantes ingleses opuseram à *lei das dez horas*. Eles sabiam perfeitamente que uma redução de duas horas na jornada de trabalho das mulheres e das crianças implicaria igualmente uma redução do tempo de trabalho dos homens adultos. A natureza mesma da grande indústria exige que o tempo de trabalho seja igual para todos. O que hoje é o resultado do capital e da concorrência mútua dos operários será amanhã – caso se abolisse a relação entre o trabalho e o capital – a consequência de uma convenção baseada na relação entre a soma das forças produtivas e a soma das necessidades existentes.

Mas semelhante convenção é a condenação da troca individual, e assim chegamos ao nosso primeiro resultado.

A princípio, não há troca de produtos, mas sim troca de trabalhos que concorrem para a produção. É o modo de troca das forças produtivas que depende do modo de troca dos produtos. Em geral, a forma de troca dos produtos corresponde à forma da produção. Se se modifica esta última, a primeira, em consequência, será modificada. Por isso vemos, na história da sociedade, o modo de troca dos produtos ser regulado pelo modo da sua produção. A troca individual corresponde, ela também, a um modo de produção determinado que, por sua vez, responde ao antagonismo entre as classes. Portanto, não há troca individual sem o antagonismo entre as classes.

No entanto, as consciências honestas recusam tal evidência. O ponto de vista burguês só pode perceber nesse antagonismo uma relação de harmonia e de justiça eterna, que impede às pessoas afirmarem seus interesses prejudicando outras. Para o burguês, a troca individual pode subsistir sem o antagonismo entre as classes: para ele, trata-se de coisas totalmente desvinculadas. A troca individual, tal como a representa o burguês, não se parece em nada com a troca individual tal como é praticada.

O Sr. Bray faz da ilusão do honesto burguês o *ideal* que pretende realizar. Depurando a troca individual, expurgando-a de todos os seus componentes antagônicos, ele acredita encontrar uma relação "igualitária" que desejaria introduzir na sociedade.

O Sr. Bray não vê que essa relação igualitária, esse *ideal corretivo* que gostaria de aplicar ao mundo, é, em si mesmo, um reflexo do mundo atual e que, consequentemente, é impossível reconstituir a sociedade sobre uma base que não passa de uma sombra embelezada de si mesma. Na medida em que a sombra torna-se corpo, percebe-se que este, longe de ser a transfiguração sonhada, é o corpo atual da sociedade[53].

3
Aplicação da lei das proporcionalidades de valor

a) A moeda

"O ouro e a prata são as primeiras mercadorias cujo valor chegou à sua constituição."

Assim, o ouro e a prata são as primeiras aplicações do "valor constituído"... pelo Sr. Proudhon. E como o Sr. Proudhon constitui os valores dos produtos determinando-os pela quantidade comparativa de trabalho neles fixada, a única coisa que tinha a fazer era demonstrar que as *variações* ocorridas no valor do ouro e da prata explicam-se sempre pelas variações do tempo de trabalho requerido para produzi-los. Mas o Sr. Proudhon não se preocupa com isso[54]. Ele não fala do ouro e da prata como mercadoria, fala deles como moeda.

Toda sua lógica, se é que há alguma lógica, consiste em escamotear a qualidade que o ouro e a prata possuem de servir como moeda, em benefício de todas as mercadorias que têm a qualidade de serem avaliadas pelo tempo de trabalho. Definitivamente, nesse escamoteamento há mais ingenuidade do que malícia.

Um produto útil, sendo avaliado pelo tempo de trabalho necessário à sua produção, é sempre aceitável em troca. Exclama o Sr. Proudhon: provam-no o ouro e a prata, que se encontram nas minhas condições exigidas de "permutabilidade". O ouro e a prata são, pois, o valor chegado ao estado de constituição, são a encarnação da ideia do Sr. Proudhon. Ele não poderia ser mais feliz na escolha do seu exemplo. O ouro e a prata, além da sua qualidade de mercadoria – avaliada, como qualquer outra, pelo tempo de trabalho –, possuem a qualidade de agente universal da troca, são moeda. Tomando agora o ouro e a prata como uma aplicação do "valor constituído" pelo tempo de trabalho, nada é mais fácil de provar que toda mercadoria cujo valor se constitui pelo tempo de trabalho será sempre permutável, será sempre moeda.

Uma questão muito simples se apresenta ao espírito do Sr. Proudhon: Por que o ouro e a prata têm o privilégio de serem o tipo do valor "valor constituído"?

> *A função particular que o uso conferiu aos metais preciosos de servirem de agente ao comércio é puramente convencional e qualquer outra mercadoria poderia, talvez menos comodamente, mas de um modo igualmente autêntico, desempenhar este papel: os economistas o reconhecem e cita-se mais de um exemplo. Então, qual é a razão desta preferência geralmente dada aos metais para servirem de moeda e como se explica essa especialidade das funções do dinheiro, sem comparação na economia política?... Ora, é possível restabelecer a série da qual a moeda parece ter sido destacada e, consequentemente, reconduzi-la ao seu verdadeiro princípio?*

Colocando a questão nesses termos, o Sr. Proudhon já supôs a *moeda*. A primeira questão que se deveria colocar é saber por que, nas trocas, tais como elas se constituem atualmente, foi preciso individualizar, por assim dizer, o valor permutável, criando um agente especial de troca. A moeda não é uma coisa, é uma relação social. Por que a relação da moeda é uma relação de produção, como qualquer outra relação econômica, como a divisão do trabalho etc.? Se o Sr. Proudhon compreendesse bem esta relação, não teria visto na moeda uma exceção, um elemento destacado de uma série desconhecida ou a ser reencontrada.

Ao contrário, ele teria reconhecido que essa relação é um elo e, como tal, intimamente ligada a todo o encadeamento das outras relações econômicas, e que ela corresponde a um modo de produção determinado, tanto quanto a troca individual. Mas o que faz ele? Começa por destacar a moeda do conjunto do modo de produção atual para, mais tarde, torná-la o primeiro elemento de uma série imaginária, de uma série a ser reencontrada.

Uma vez reconhecida a necessidade de um agente particular de troca, ou seja, a necessidade da moeda, só resta, então explicar por que esta função particular é conferida ao ouro e à prata, de preferência a qualquer outra mercadoria. Essa é uma questão secundária, que se explica não pelo encadeamento das relações de produção, mas pelas qualidades específicas inerentes ao ouro e à prata enquanto matérias. Se, depois de tudo isso, os economistas, nesse caso,

> *colocaram-se fora do domínio da ciência,*
> *se voltaram-se para a física, a mecânica,*
> *a história etc.,*

como os censura o Sr. Proudhon, eles apenas fizeram o que deviam fazer. A questão já não pertence ao domínio da economia política.

> *O que nenhum dos economistas viu ou compreendeu é a razão econômica que determinou, em favor dos metais preciosos, o privilégio que gozam.*

A razão econômica que, certamente, ninguém viu ou compreendeu, o Sr. Proudhon viu, compreendeu e legou à posteridade.

> *Ora, o que ninguém observou é que, de todas as mercadorias, o ouro e a prata são as primeiras cujo valor chegou à constituição. No período patriarcal, o ouro e a prata ainda se negociavam e se trocavam em lingotes, mas já com uma visível tendência à dominação e uma marcada preferência. Pouco a pouco, os soberanos se apoderaram desses metais e lhes apuseram a sua chancela: e dessa consagração soberana nasceu a moeda, ou seja, a mercadoria por excelência, aquela que, apesar de todas as perturbações do comércio, conserva um valor proporcional determinado e se faz aceitar em todos os pagamentos... O traço distintivo do ouro e da prata decorre, repito-o, de que, graças às suas propriedades metálicas, às dificuldades da sua produção e, sobretudo, à intervenção da autoridade pública, eles conquistaram logo, como mercadorias, a solidez e a autenticidade.*

Afirmar que, de todas as mercadorias, o ouro e a prata são as primeiras cujo valor chegou à constituição, é afirmar, como se depreende de todo o precedente, que o ouro e a prata são as primeiras mercadorias que chegaram ao estado de moeda. Essa é a grande revelação do Sr. Proudhon, a grande verdade que ninguém descobriu antes dele.

Se, com essas palavras, o Sr. Proudhon quis dizer que o ouro e prata são as mercadorias para cuja produção primeiro se conheceu o tempo necessário, tratar-se-ia de uma dessas suposições com que sempre está pronto a gratificar seus leitores. Se quiséssemos nos ater a essa erudição patriarcal, diríamos ao Sr. Proudhon que o tempo requerido para produzir os objetos de primeira necessidade, como ferro etc., foi conhecido antes. Dispensá-lo-emos do arco clássico de Adam Smith.

Mas, depois de tudo isso, como o Sr. Proudhon pode ainda falar da constituição de um valor, visto que este jamais se constitui por si só? Ele não se constitui pelo tempo requerido para produzi-lo isoladamente; constitui-se pela relação com a quota de todos os outros produtos que podem ser criados no mesmo tempo. Assim, a constituição do valor, do ouro e da prata, supõe a constituição já alcançada do valor de um grande número de outros produtos.

Portanto, não é a mercadoria que chegou, no ouro e na prata, ao estado de "valor constituído"; é o "valor constituído" do Sr. Proudhon que, no ouro e na prata, chegou ao estado de moeda.

Examinemos agora, mais de perto, essas *razões econômicas* que, de acordo com o Sr. Proudhon, conferiram ao ouro e à prata o privilégio de serem erigidos em moeda mais cedo do que todos os outros produtos, passando pelo estado constitutivo do valor.

Essas razões econômicas são: "a tendência visível à dominação", a "marcada preferência" já no "período patriarcal" e outros circunlóquios sobre o mesmo fato, que aumentam a dificuldade, pois que multiplicam o fato multiplicando os incidentes que o Sr. Proudhon aduz para explicá-lo. Mas o Sr. Proudhon ainda não esgotou todas as suas razões pretensamente econômicas. Eis uma, de uma força soberana, irresistível:

É da consagração soberana que nasce a moeda: os soberanos se apoderam do ouro e da prata e lhes apõem a sua chancela.

Assim, o arbítrio dos soberanos é, para o Sr. Proudhon, a razão suprema em economia política!

De fato, é preciso estar desprovido de todo conhecimento histórico para ignorar que os soberanos, em todos os tempos, submeteram-se às condições econômicas, sem jamais lhes impor a sua lei. A legislação, tanto política como civil, apenas enuncia, verbaliza as exigências das relações econômicas.

Foi o soberano que se apoderou do ouro e da prata, para torná-los agentes universais da troca, imprimindo-lhes a sua chancela, ou, ao contrário, foram estes agentes universais de troca que se apoderaram do soberano, obrigando-o a lhes imprimir a sua chancela e dar-lhes uma consagração política?

A marca que se imprimiu e se imprime à moeda não é a do seu valor, massa do seu peso. A solidez e a autenticidade de que fala o Sr. Proudhon aplicam-se apenas ao teor da moeda, e ele indica a quantidade de matéria metálica que existe numa porção de prata monetizada.

O único valor intrínseco de um marco de prata [diz Voltaire, com o seu conhecido bom-senso] é um marco de prata, uma meia libra pesando 8 onças. Unicamente o peso e o teor constituem este valor intrínseco[55].

Mas temos a questão: Quanto vale uma onça de ouro e de prata? Se um tecido da loja *Grand Colbert* trouxesse a marca de fábrica *pura lã*, esta marca ainda não diria nada do valor do tecido. Restaria sempre saber quanto vale a lã.

Felipe I, rei da França, mistura à libra tournesa de Carlos Magno um terço de liga, imaginando que, possuindo o monopólio de fabricação das moedas, pode fazer o que faz todo comerciante que tem monopólio de um produto. De fato, em que consistiu essa alteração da moeda, tão censurada a Felipe e seus sucessores? Num raciocínio muito correto do ponto de vista da rotina comercial, mas muito errado do ponto de vista da ciência econômica, a saber: Visto que os valores se regulam pela oferta e pela procura, pode-se, quer produzindo uma escassez artificial, quer açambarcando a produção, elevar a apreciação e, pois, o valor das coisas, e isso é verdade tanto para o ouro e a prata como para o trigo, o vinho, o azeite, o tabaco. Entretanto, logo que se suspeitou da fraude de Felipe, a sua moeda foi reduzida ao seu justo valor e, ao mesmo tempo, ele perdeu o que acreditava ganhar à custa dos seus súditos. O mesmo ocorreu depois com todas as tentativas semelhantes.

Em primeiro lugar, já se demonstrou várias vezes que, se o soberano decide alterar a moeda, é ele quem sai perdendo. O que ganhou uma única vez, quando da primeira emissão, perde-o todas as vezes que as moedas falsificadas lhe retornam sob a forma de impostos etc. No entanto, Felipe e seus sucessores souberam resguardar-se parcialmente dessas perdas porque, logo que a moeda alterada era posta em circulação, eles se apressaram em ordenar uma refundação geral das moedas segundo o antigo padrão.

E, demais, se Felipe I de fato raciocinasse como o Sr. Proudhon, não teria raciocinado bem "do ponto de vista comercial". Nem Felipe I nem o Sr. Proudhon demonstram genialidade mercantil quando imaginam que se pode alterar o valor do ouro, como o de qualquer outra mercadoria, pela única razão de o seu valor ser determinado pela relação entre a oferta e a procura.

Se o Rei Felipe ordenasse que um moio de trigo passasse, a partir de então, a se chamar dois moios de trigo, teria sido um escroque. Teria burlado todos os rentistas, todos os que tinham a receber cem moios de trigo – estes, com isso, receberiam apenas cinquenta. Suponha-se que o rei devesse cem moios de trigo; então ele pagaria somente cinquenta. Mas, no comércio, os cem moios nunca valeriam mais de cinquenta. Mudando-se o nome não se muda a coisa. A quantidade de trigo oferecida ou procurada não diminuirá nem aumentará pela simples mudança de nome. Portanto, a relação entre a oferta e a procura sendo a mesma, apesar da alteração nominal, o preço do trigo não sofrerá nenhuma modificação real. Falando da oferta e da procura das coisas, não se fala da oferta e da procura do nome das coisas. Felipe I não fazia o ouro e a prata, como diz o Sr. Proudhon; fazia o nome das moedas. Fazendo passar a caxemira francesa pela asiática, é possível enganar a um ou dois compradores; mas, descoberta a fraude, as falsas caxemiras asiáticas voltarão ao preço das francesas. Atribuindo um rótulo falso ao ouro e à prata, o Rei Felipe I só podia burlar enquanto a fraude não fosse conhecida. Como qualquer negociante, enganava seus fregueses qualificando falsamente a mercadoria – mas isso tinha uma duração limitada. Mais cedo ou mais tarde, sofreria o rigor das leis comerciais. O Sr. Proudhon queria provar isso? Não. Segundo ele, o dinheiro recebe o valor do soberano, e não do comércio. E o que, de fato, provou? Que o comércio é mais soberano que o soberano. Se o soberano decidir que um marco passe a ser dois marcos, o comércio dirá sempre que esses dois marcos valem tanto quanto o marco de antes.

Mas nem por isso se avança um só passo na questão do valor determinado pela quantidade de trabalho. Resta ainda decidir se esses dois marcos, reconvertidos ao marco anterior, são determinados pelos custos de produção ou pela lei da oferta e da procura.

O Sr. Proudhon continua:

> É de se considerar ainda que se, em vez de alterar as moedas, o rei pudesse duplicar a sua massa, o valor permutável do ouro e da prata teria logo baixado à metade, ainda por essa razão de proporcionalidade e equilíbrio.

Se essa opinião, que o Sr. Proudhon compartilha com outros economistas, é correta, ela constitui uma prova em favor da doutrina que esses economistas sustentam sobre a oferta e a procura, mas nada diz em favor da proporcionalidade do Sr. Proudhon. Porque, qualquer que fosse a quantidade de trabalho fixado na massa duplicada do ouro e da prata, seu valor seria reduzido pela metade, com a procura permanecendo igual e a oferta sendo dobrada. Ou será que, desta vez, casualmente, "*a lei da proporcionalidade*" confundir-se-ia com a lei tão desprezada da oferta e da procura? Essa justa proporcionalidade do Sr. Proudhon é tão elástica, de fato presta-se a tantas variações, combinações e permutações, que poderia muito bem coincidir uma vez com a relação entre a oferta e a procura.

Tornar "toda mercadoria aceitável na troca, se não de fato, pelo menos de direito", fundando-se no papel desempenhado pelo ouro e pela prata, significa ignorar esse papel. O ouro e a prata só são aceitáveis de direito porque o são de fato, e o são de fato porque a organização atual da indústria necessita de um agente universal de troca. O direito não é mais que o reconhecimento oficial do fato.

Como vimos, o exemplo do dinheiro enquanto aplicação do valor que passa ao estado de constituição só foi escolhido pelo Sr. Proudhon para contrabandear toda a sua doutrina da permutabilidade, isto é: para demonstrar que toda mercadoria avaliada pelos seus custos de produção deve chegar ao estado de moeda. Tudo isso seria perfeito, não fora o inconveniente de precisamente o ouro e a prata, enquanto moeda, serem, de todas as mercadorias, as únicas não determinadas pelos seus custos de produção; e tanto isso é verdade que, na circulação, podem ser substituídas pelo papel. Embora haja certa proporção observada entre as necessidades de circulação e quantidade de moeda emitida, seja em papel, ouro, platina ou cobre, não poderá colocar a questão de uma proporção a observar entre o valor intrínseco (os custos da produção) e o valor nominal da moeda. Sem dúvida, no comércio internacional, a moeda é determinada, como qualquer mercadoria, pelo tempo de trabalho. Mas é porque o ouro e a prata, no comércio internacional, são meios de troca como produto e não como moeda, isto é, perdendo esse caráter de "solidez e autenticidade", de "consagração soberana" que, segundo o Sr. Proudhon, constituem a sua natureza específica. Ricardo compreendeu tão bem essa verdade que, após basear todo o seu sistema no valor determinado pelo tempo de trabalho e após dizer que

> o ouro e a prata, *como todas as outras mercadorias, só têm valor na proporção*

> *da quantidade de trabalho necessário para*
> *produzi-los e fazê-los chegar ao mercado,*

ele acrescenta, todavia, que o valor da *moeda* não é determinado pelo tempo de trabalho fixado em sua matéria, mas unicamente pela lei da oferta e da procura.

> *Embora o papel não tenha nenhum valor intrínseco, contudo, caso se limite a sua quantidade, o seu valor permutável pode igualar o valor de uma moeda metálica da mesma denominação ou lingotes avaliados em espécie. Graças ainda ao mesmo princípio, ou seja, limitando a quantidade de moeda, é que peças de baixo teor podem circular com o mesmo valor que teriam se os seus peso e teor fossem aqueles fixados pela lei, e não segundo o valor intrínseco do metal puro que conteriam. É por isso que, na história das moedas inglesas, vemos que o nosso numerário nunca foi depreciado na mesma proporção em que foi alterado. A razão está em que ele nunca foi multiplicado na proporção da sua depreciação[56].*

Eis o que J.-B. Say observa sobre esta passagem de Ricardo:

> *Este exemplo deveria bastar, creio eu, para convencer o autor de que a base de todo valor não é uma quantidade de trabalho necessária para produzir uma mercadoria, mas a necessidade que se tem dela, comparada à sua escassez.*

Assim, a moeda, que para Ricardo já não é um valor determinado pelo tempo de trabalho e de que J.-B. Say se aproveita para convencê-lo de que também os outros valores não poderiam ser determinados pelo tempo de trabalho, a moeda, repito, considerada por J.-B. Say como exemplo de um valor exclusivamente determinado pela oferta e pela procura, torna-se, para o Sr. Proudhon, o exemplo por excelência da aplicação do valor constituído... pelo tempo de trabalho.

Finalizando, a moeda, não é um "valor constituído" pelo tempo de trabalho, menos ainda poderia ter qualquer coisa em comum com a justa "proporcionalidade" do Sr. Proudhon. O ouro e a prata são sempre permutáveis porque têm a função particular de servirem como agente universal de troca e não porque existam em uma quantidade proporcional ao conjunto das riquezas; melhor ainda, eles são sempre proporcionais porque, dentre todas as mercadorias, são as únicas a servirem de moeda, de agente universal de troca, qualquer que seja a sua quantidade em relação ao conjunto das riquezas.

> *A moeda em circulação nunca poderia ser abundante a ponto de se tornar excessiva porque, caso se reduza o seu valor, aumenta-se, na mesma proporção, a sua quantidade, e, aumentando-se o seu valor, diminui-se a sua quantidade[57].*

"Que imbróglio é a economia política!", exclama o Sr. Proudhon.

"Maldito ouro!", exclama graciosamente um comunista (pela boca do Sr. Proudhon). Seria melhor dizer: maldito trigo, malditas vinhas, malditas ovelhas; porque

> *como o ouro e a prata, todo valor comercial deve alcançar a sua exata e rigorosa determinação.*

A ideia de fazer ovelhas e vinhas chegarem ao estado de moeda não é nova. Na França, ela pertence ao século de Luís XIV. Nessa época, com o dinheiro começando a estabelecer a sua onipotência, lamentava-se a depreciação de todas as outras mercadorias, e todos desejavam ansiosamente o momento em que "todo o valor comercial" pudesse alcançar a sua exata e rigorosa determinação, o estado de moeda. Eis o que encontramos já em Boisguillebert, um dos mais antigos economistas da França:

> *O dinheiro, então, graças a este aparecimento de inúmeros concorrentes, representados pelas próprias mercadorias restabelecidas nos seus justos valores, será colocado nos seus limites naturais*[58].

Como se vê, as primeiras ilusões da burguesia são também as suas últimas.

b) O excedente do trabalho

> *Lê-se nas obras de economia política esta hipótese absurda: Se o preço de todas as coisas duplicasse... Como se o preço de todas as coisas não fosse a proporção das coisas e se se pudesse duplicar uma proporção, uma relação, uma lei!*[59]

Os economistas incorreram neste erro porque não souberam aplicar a "lei da proporcionalidade" e do "valor constituído".

Infelizmente, lê-se na própria obra do Sr. Proudhon, à p. 110 do primeiro volume, esta hipótese absurda: "Se o salário subisse de um modo geral, o preço de todas as coisas aumentaria". Além disso, caso se encontrasse a frase em questão nas obras de economia política, aí também se encontraria a sua explicação.

> *Caso se diga que o preço de todas as mercadorias aumenta ou diminui, exclui-se sempre uma ou outra mercadoria; a mercadoria excluída é, em geral, o dinheiro ou o trabalho*[60].

Passemos agora à *segunda aplicação* do "valor constituído" e de outras proporcionalidades, cujo único defeito é serem pouco proporcionadas, e vejamos se, então, o Sr. Proudhon é mais feliz do que na *monetarização* das ovelhas.

> *Um axioma geralmente admitido pelos economistas é o de que todo trabalho deve deixar um excedente. Esta proposição é, para mim, de uma verdade universal e absoluta: é o corolário da lei da proporcionalidade, que se pode considerar como a síntese de toda ciência econômica. Mas, me perdoem os economistas, o princípio de que todo o trabalho deve deixar um excedente não tem sentido na sua teoria e não é suscetível de nenhuma demonstração[61].*

Para provar que todo trabalho deve deixar um excedente, o Sr. Proudhon personifica a sociedade; faz dela uma *sociedade-pessoa*, que não é a sociedade das pessoas, visto que possui leis à parte, não tendo nada em comum com as pessoas de que se compõe a sociedade, e possui também a sua "própria inteligência", que não é a inteligência do comum dos homens, mas uma inteligência desprovida de senso comum. O Sr. Proudhon censura aos economistas não haverem compreendido a personalidade deste ser coletivo. Gostaríamos de lhe opor a passagem seguinte, de um economista americano, que reprova aos outros economistas exatamente o contrário:

> *A entidade moral (the moral entity), o ser gramatical (the gramatical being) denominado sociedade foi revestido de atribuições que só existem realmente na imaginação daqueles que, com uma palavra, fazem uma coisa... Foi isso que deu origem a tantas dificuldades e a deploráveis equívocos na economia política[62].*

Este princípio do excedente do trabalho
só é verdadeiro para os indivíduos porque
emana da sociedade que, assim, confere-lhes
o benefício das suas próprias leis.

Com isso, quer o Sr. Proudhon dizer, simplesmente, que a produção do indivíduo social ultrapassa a do indivíduo isolado? É sobre esse excedente da produção de indivíduos associados, em relação à produção de indivíduos não associados, que o Sr. Proudhon pretende falar? Se for esse o caso, podemos indicar-lhe cem economistas que, isentos do misticismo que envolve o Sr. Proudhon, exprimiram esta simples verdade. Eis o que diz, por exemplo, Sadler:

O trabalho combinado propicia resultados que o trabalho individual jamais produziria. Assim, na medida em que a humanidade cresça numericamente, os produtos da indústria reunida excederão largamente a soma de uma simples adição calculada sobre este crescimento... Nas artes mecânicas e nos trabalhos científicos, um homem, hoje, pode fazer mais num dia do que um indivíduo isolado durante toda a sua vida. O axioma dos matemáticos, segundo o qual o todo é igual às partes, aplicado ao nosso objeto, não é verdadeiro. Quanto ao trabalho, este grande pilar da existência humana (the great pillar of human existence), pode-se dizer que o resultado dos esforços acumulados supera em muito tudo que os esforços individuais e separados podem produzir algum dia[63].

Retornemos ao Sr. Proudhon. O excedente do trabalho, diz ele, explica-se pela sociedade-pessoa. A vida dessa pessoa segue leis opostas àquelas que dirigem a atuação do homem como indivíduo, e o Sr. Proudhon quer prová-lo com *"fatos"*.

A descoberta de um novo procedimento econômico jamais pode proporcionar ao inventor um lucro igual ao que oferece à sociedade... Já se observou que as empresas ferroviárias são bem menos uma fonte de riquezas para seus proprietários do que para o Estado... O preço médio do transporte de mercadorias por estradas é de 18 cêntimos por tonelada e por quilômetro, incluídos os gastos de carga e descarga em armazéns. Calculou-se que, se por esse preço, uma empresa ferroviária comum não obteria 10% de lucro líquido, resultado semelhante ao de uma de transporte. Mas admitamos que a velocidade do transporte ferroviário seja quatro vezes maior que a do transporte por estrada: como, na sociedade, o tempo é o próprio valor, dada uma igualdade de preços, a ferrovia oferecerá, comparada ao transporte por estrada, uma vantagem de 400%. Entretanto, essa enorme vantagem, muito real para a sociedade, está bem longe de se realizar na mesma proporção para o transportador; proporcionando à sociedade uma mais-valia de 400%, não consegue mais de 10%. Suponhamos, de fato, para evidenciar ainda mais a coisa, que a ferrovia eleve sua tarifa para 25 cêntimos, permanecendo a do transporte por estrada em 18: imediatamente, a empresa perderá todos os seus clientes. Expedidores, destinatários, todos retornarão à malbrouke e, se preciso, à carroça. A locomotiva será abandonada: uma vantagem social de 400% será sacrificada à perda privada de 35%. A razão é facilmente compreensível: a vantagem que resulta da rapidez da ferrovia é inteiramente social, cada indivíduo participando dela numa proporção mínima (não esqueçamos que, neste momento, trata-se apenas do transporte de mercadorias), ao passo que a perda toca direta e pessoalmente ao consumidor. Um benefício social igual a 400 representa para o indivíduo, numa sociedade de um milhão de pessoas, quatro décimos de milésimo, enquanto uma perda de 33% para o consumidor redundaria num déficit social de 33 milhões[64].

Admite-se que o Sr. Proudhon exprima uma velocidade elevada ao quádruplo por 400% da velocidade original; mas que relacione o percentual da velocidade com o percentual do lucro e estabeleça uma proporção entre duas relações que, podendo ser aferidas separadamente em porcentagem, são, todavia, incomensuráveis entre si; isso equivale a estabelecer uma proporção entre os percentuais e deixar de lado as denominações.

Dez por cento são sempre 10%; 10% e 400% são comensuráveis; um está para o outro como 10 está para 400. Portanto, conclui o Sr. Proudhon, um lucro de 10% vale 40 vezes menos uma velocidade quadruplicada. Para salvar as aparências, ele diz que, para a sociedade, o tempo é o valor (*time is money*). Esse erro provém de que ele se recorda, confusamente, da existência de uma relação entre o valor e o tempo de trabalho, apressando-se a assimilar o tempo de trabalho ao tempo de transporte, ou seja, identifica alguns maquinistas, guardas de trem e semelhantes – cujo tempo de trabalho é tempo de transporte – com a sociedade inteira. Com esse golpe, a velocidade se transforma em capital e, nesse caso, ele tem toda a razão de dizer: "Um benefício de 400% será sacrificado a uma perda de 35%". Depois de, como matemático, estabelecer essa estranha proposição, dá-nos a sua explicação como economista.

> *Um benefício social igual a 400 representa
> para o indivíduo, se a sociedade é de
> apenas um milhão de homens, quatro
> décimos de milésimo.*

De acordo; mas não se trata de 400, trata-se de 400%, e um benefício de 400% representa para o indivíduo, 400%, nem mais nem menos. Qualquer que seja o capital, os dividendos se determinarão sempre na relação de 400%. O que o Sr. Proudhon faz? Toma a porcentagem como sendo o capital e, receando que a sua confusão não seja bastante manifesta, bastante "sensível", ele prossegue: "Uma perda de 33% para o consumidor suporia um déficit social de 33 milhões". 33% de perda para um consumidor continuam a ser 33% de perda para um milhão de consumidores.

Como pode o Sr. Proudhon dizer, em seguida e impertinentemente, que o déficit social, no caso uma perda de 33%, se eleva a 33 milhões, se desconhece tanto o capital social quanto o capital de apenas um dos interessados? Portanto, não bastou ao Sr. Proudhon confundir o *capital* e os *percentuais*: ele se supera a si mesmo identificando o *capital* investido numa empresa com o *número* dos interessados.

"Suponhamos, de fato, para tornar a coisa mais evidente", um capital determinado. Um lucro social de 400%, repartido por um milhão de participantes, investindo cada um 1 franco, oferece 4 francos de lucro a cada indivíduo, e não 0,0004, como pretende o Sr. Proudhon; igualmente, uma perde de 33% para cada um dos participantes representa um déficit social de 330.000 francos, e não de 33 milhões (100: 33 = 1.000.000: 330.000).

O Sr. Proudhon, preocupado com sua teoria da sociedade-pessoa, esquece-se de fazer a divisão por 100, obtendo, assim, 330.000 francos de perda; mas 4 francos de lucro por indivíduo dão, para a sociedade, 4 milhões de francos de lucro. Para a sociedade, resta um lucro líquido de 3.670.000 francos. Esse cálculo exato prova exatamente o contrário do que o Sr. Proudhon queria demonstrar, isto é: que os benefícios e as perdas da sociedade não estão, de modo algum, em razão inversa aos benefícios e perdas dos indivíduos.

Depois de retificar esses simples erros de puro cálculo, vejamos brevemente as consequências a que se chegaria caso se quisesse admitir, para as ferrovias, essa relação entre velocidade e capital, como o Sr. Proudhon a estabelece, abstraídos seus erros de cálculo. Suponhamos que um transporte quatro vezes mais rápido custa quatro vezes mais; ele não propiciaria um lucro menor que o transporte por estrada, que é quatro vezes mais lento e custa a quarta parte dos gastos com o outro. Assim, se o transporte por estrada custa 18 cêntimos, aquele por ferrovia custaria 72 cêntimos. Esta seria, segundo o "rigor matemático", a consequência das suposições do Sr. Proudhon, abstraídos, sempre, os seus erros de cálculo. Mas, repentinamente, ele nos diz que se a ferrovia cobrasse 25 cêntimos, em vez de 72, perderia imediatamente todos os seus clientes. Decididamente, é preciso voltar à *malbrouke* e mesmo à carroça. O único conselho que oferecemos ao Sr. Proudhon é, em seu "Programa *da associação progressiva*", não esquecer a divisão por 100. Mas não temos esperanças de que ele ouça o nosso conselho, porque está tão fascinado com o seu cálculo "progressivo", correspondente à "associação progressiva", que ele exclama enfaticamente:

> *Já demonstrei, no capítulo II, pela solução da antinomia do valor, que a vantagem de qualquer descoberta*

útil é incomparavelmente menor para o inventor, faça ele o que fizer, do que para a sociedade; conduzi minha demonstração com rigor matemático!

Retornemos à ficção da sociedade-pessoa, ficção cujo único objetivo era provar esta simples verdade: uma nova invenção, permitindo produzir com a mesma quantidade de trabalho uma maior quantidade de mercadorias, reduz o valor venal do produto. A sociedade, pois, lucra: obtém não mais valores permutáveis, e sim mais mercadorias pelo mesmo valor. Quanto ao inventor, a concorrência reduz, em seguida, o seu lucro ao nível geral dos lucros. O Sr. Proudhon demonstrou esta proposição como queria? Não. Mas isso não o impede de censurar aos economistas a ausência dessa demonstração. Para lhe provar o contrário, citaremos somente Ricardo e Lauderdale: Ricardo, mestre da escola que determina o valor pelo tempo de trabalho, e Lauderdale, um dos mais acérrimos defensores da determinação do valor pela oferta e pela procura. Ambos desenvolveram a mesma tese.

Aumentando constantemente a facilidade de produção, diminuímos constantemente o valor de algumas das coisas produzidas anteriormente, embora, por este meio, não apenas aumentamos a riqueza nacional, mas, ainda, a faculdade de produzir para o futuro... Quando, através de máquinas ou de nossos conhecimentos em física, forçamos os agentes naturais a fazer o que antes era executado pelos homens, o valor permutável desta obra, consequentemente, é reduzido. Se fossem precisos dez homens para mover um moinho de trigo e caso se descobrisse que, por meio do vento ou da água, poder-se-ia poupar o trabalho desses dez homens, a farinha, produto

*do moinho, a partir daí teria seu valor
reduzido na proporção da soma de
trabalho economizado; e a sociedade
seria enriquecida com todo o valor
das coisas que o trabalho daqueles dez
homens produziria, os fundos destinados
à manutenção dos trabalhadores não
sofrendo, com isso, a menor redução[65].*

Lauderdale, por sua vez, afirma:

*O lucro dos capitais provém sempre do
fato de eles substituírem uma porção
de trabalho que o homem deveria
realizar manualmente ou de executarem
uma porção de trabalho superior aos
esforços pessoais do homem e que ele
não conseguiria efetivar por si mesmo.
O diminuto lucro que, em geral, obtêm
os proprietários das máquinas, em
comparação com o preço do trabalho que
elas realizam, poderia talvez colocar em
dúvida a correção desta assertiva. Uma
bomba a vapor, por exemplo, extrai, em
um dia, mais água de uma mina de
carvão do que conseguiriam trezentos
homens, transportando o líquido às
costas, mesmo com o uso de tinas; e é
indiscutível que a bomba substitui esse
trabalho com menos custos. Esse é o caso
de todas as máquinas. O trabalho manual
do homem, elas o substituem e o realizam
a um preço inferior... Eu suponho que
se atribuía uma patente ao inventor de
uma máquina que realiza o trabalho de
quatro homens; como o privilégio exclusivo
interdita toda concorrência, exceto a que
realiza o trabalho dos operários, é claro
que o salário destes será, enquanto durar
o privilégio, a medida do preço que o
inventor deve conferir aos seus produtos.
Isso significa que, para garantir
o seu emprego, o inventor*

exigirá um pouco menos que o salário do trabalho que a sua máquina substitui. Mas, expirado o privilégio, surgem outras máquinas semelhantes, que rivalizam com a sua. Então, regulará o seu preço pelo princípio geral, fazendo-o depender da abundância de máquinas. O lucro dos capitais investidos..., embora resulte de um trabalho substituído, regula-se, enfim, não pelo valor desse trabalho, mas, como em todos os outros casos, pela concorrência entre os capitais; e o grau dessa concorrência é sempre fixado pela proporção entre a quantidade dos capitais oferecidos para esta função e a procura que se manifesta.

Finalmente, pois, enquanto o lucro for maior que noutras indústrias, haverá capitais que se lançarão na nova indústria, até que a taxa de lucro se reduza ao nível comum.

Acabamos de ver que o exemplo da ferrovia não era apropriado para esclarecer minimamente a ficção da sociedade-pessoa. Apesar disso, o Sr. Proudhon retoma ousadamente seu discurso:

Clarificados estes pontos, nada mais fácil do que explicar como o trabalho deve deixar a cada produtor um excedente.

O que agora se segue pertence à Antiguidade Clássica. Trata-se de um conto poético, escrito para amenizar ao leitor as fadigas que lhe causou o rigor das demonstrações matemáticas precedentes. O Sr. Proudhon dá à sua sociedade-pessoa o nome de Prometeu e glorifica seus feitos nestes termos:

Inicialmente, saindo do seio da natureza, Prometeu desperta para a vida numa inércia cheia de encantos etc. Prometeu mete mãos à obra e, desde o seu primeiro dia, primeiro dia da segunda criação, o seu produto, ou seja, a sua riqueza, o seu bem-estar, é igual a dez. No segundo dia, Prometeu divide o seu trabalho, e o seu produto torna-se igual a cem. No terceiro dia, e em cada um dos seguintes, Prometeu inventa máquinas, descobre novas utilidades nos corpos e novas forças na natureza... A cada avanço da sua indústria, a soma da sua produção se eleva e lhe anuncia um acréscimo de felicidade. E, enfim, visto que, para ele, consumir é produzir, é claro que cada dia de consumo, fazendo desaparecer apenas o produto da véspera, deixa para o dia seguinte um excedente de produto.

Esse Prometeu do Sr. Proudhon é um personagem cômico, tão frágil em lógica como em economia política. Enquanto Prometeu que se limita a nos ensinar a divisão do trabalho, o emprego das máquinas, a exploração das forças naturais e do poder científico, multiplicando as forças produtivas dos homens e fornecendo um excedente em comparação ao que produz o trabalho isolado, esse novo Prometeu tem a infelicidade de chegar muito atrasado. Mas, enquanto Prometeu que se põe a misturar produção e consumo, ele se torna realmente grotesco. Consumir, para ele, é produzir; consome no dia seguinte o que produziu na véspera e, por isso, conta sempre com um dia de reserva, que é o seu "excedente de trabalho". Mas, consumindo no dia seguinte o que produzira na véspera, no primeiro dia, que não teve véspera, ele teve que trabalhar dois dias, a fim de, depois, ter um dia de reserva. Como é que Prometeu conseguiu este excedente no primeiro dia, quando não havia nem divisão do trabalho, nem máquinas, nem mesmo outros conhecimentos das forças físicas além do fogo? A questão, recuada "ao primeiro dia da segunda criação", não avançou um só passo. Essa maneira de explicar as coisas liga-se simultaneamente aos gregos e aos hebreus, é simultaneamente mística e alegórica e concede ao Sr. Proudhon o pleno direito de afirmar:

> *Demonstrei, com a teoria e com os fatos, o princípio de que todo trabalho deve deixar um excedente.*

Os fatos são o famoso cálculo progressivo; a teoria é o mito de Prometeu.

> *Mas [continua o Sr. Proudhon], este princípio, tão certo quanto uma proposição de aritmética, está ainda longe de se realizar para todos. Enquanto, pelo progresso da indústria coletiva, cada jornada de trabalho individual obtém um produto cada vez maior, e, por uma consequência necessária, enquanto o trabalhador, com o mesmo salário, deveria tornar-se mais rico a cada dia, existem na sociedade Estados que prosperam e outros que declinam.*

Em 1770, a população do Reino Unido da Grã-Bretanha era de 15 milhões e a população produtiva de 3 milhões. O poder científico da produção equivalia a uma população adicional de 12 milhões de indivíduos; em suma, pois, havia 15 milhões de forças produtivas. Assim, o poder produtivo estava para a população na relação de 1 a 1, enquanto o poder científico estava para o poder manual na relação de 4 a 1.

Em 1840, a população não ultrapassava 30 milhões; a população produtiva era de 6 milhões, enquanto o poder científico chegava a 650 milhões, ou seja: estava para a população total na relação de 21 a 1 e para o poder manual na de 108 a 1.

Na sociedade inglesa, portanto, a jornada de trabalho ganhou, em setenta anos, um excedente de produtividade de 2.700%; isso quer dizer que em 1840 ela produziu 27 vezes mais que em 1770. Segundo o Sr. Proudhon, dever-se-ia colocar a seguinte questão: Por que o operário inglês de 1840 não era 27 vezes mais rico que o de 1770? Colocar semelhante questão supõe, naturalmente, que os ingleses poderiam produzir essas riquezas sem que existissem as condições históricas nas quais elas foram produzidas, tais como a acumulação privada de capitais, a divisão moderna de trabalho, a fábrica mecanizada, a concorrência anárquica, o salariado, enfim, tudo o que se baseia no antagonismo entre as classes. Ora, para o desenvolvimento das forças produtivas e do excedente do trabalho, estas eram precisamente as condições de existência. Portanto, para obter esse desenvolvimento das forças produtivas e do excedente do trabalho, eram necessárias classes que prosperam e outras que declinam.

O que é, no final das contas, esse Prometeu ressuscitado pelo Sr. Proudhon? É a sociedade, são as relações sociais fundadas no antagonismo entre as classes. Elas não são relações entre indivíduos, mas relações entre o operário e o capitalista, o arrendatário e o proprietário fundiário etc. Suprimidas essas relações, estará suprimida a sociedade, e o Prometeu não será mais que um fantasma sem braços ou pernas, ou seja, sem fábrica, sem divisão de trabalho, sem, numa palavra, tudo aquilo que a princípio lhe foi atribuído para obter esse excedente de trabalho.

Se, pois, na teoria bastasse, como faz o Sr. Proudhon, interpretar a fórmula do excedente de trabalho no sentido da igualdade, desprezando as condições atuais de produção, na prática deveria bastar uma repartição igualitária, entre os operários, de todas as riquezas hoje obtidas, sem nada alterar nas condições atuais da produção. É claro que essa repartição não garantiria um nível muito grande de conforto a cada um dos participantes.

Mas o Sr. Proudhon não é tão pessimista quanto se poderia acreditar. Como a proporcionalidade é tudo para ele, não deixaria de ver no Prometeu, tal como no-lo apresenta, ou seja, na sociedade atual, um início de realização da sua ideia favorita.

> *Mas em todos os lugares, também, o progresso da riqueza, isto é, a proporcionalidade dos valores, é a lei dominante, e quando os economistas opõem às queixas do partido social o acréscimo progressivo da fortuna pública e as melhorias introduzidas na condição das classes, mesmo as mais desfavorecidas, elas proclamam, sem o perceber, uma verdade que é a condenação de suas teorias.*

O que é, de fato, a riqueza coletiva, a fortuna pública? É a riqueza da burguesia, não de cada burguês em particular. Pois bem: os economistas não fazem outra coisa que demonstrar como, nas relações de produção tal como existem, a riqueza da burguesia se desenvolveu e deve aumentar ainda mais. Quanto às classes operárias, ainda é questão muito discutida saber se a sua situação melhorou em consequência do aumento da riqueza pretensamente pública. Quando os economistas, para apoiar o seu otimismo, citam-nos o exemplo dos operários ingleses ocupados na indústria algodoeira, eles só tomam a sua situação em raros momentos de prosperidade do comércio. Tais momentos estão em relação a épocas de crise e estagnação na "justa proporção" de 3 a 10. Mas pode ser que, falando de melhorias, os economistas pretendessem mencionar os milhões de operários que tiveram de perecer, nas Índias Orientais, para propiciar aos 1,5 milhão de operários ocupados, na Inglaterra, na mesma indústria, 3 anos de prosperidade em cada 10.

Quanto à participação temporária no acréscimo da riqueza pública, trata-se de outra questão. O fato da participação temporária é explicado pela teoria dos economistas, confirmando-a e não, como diz o Sr. Proudhon, "condenando-a". Se houvesse algo a condenar, seria certamente o sistema do Sr. Proudhon, que reduziria, como demonstramos, o operário ao mínimo do salário, apesar do crescimento das riquezas. Somente reduzindo-o ao mínimo de salário ele aplicaria a justa proporcionalidade dos valores, do "valor constituído" – pelo tempo de trabalho. É porque o salário, em razão da concorrência, oscila para além e para aquém do preço dos víveres necessários ao sustento do operário, que este pode participar, por pouco que seja, do desenvolvimento da riqueza coletiva, podendo, também, morrer de miséria. Nisso consiste toda a teoria dos economistas que não se deixam iludir.

Depois dessas longas divagações sobre ferrovias, Prometeu e a nova sociedade a reconstituir a base do "valor constituído", o Sr. Proudhon se recolhe; a emoção o domina e ele exclama em um tom paternal:

> *Conclamo os economistas a se interrogarem por um momento, no silêncio do seu coração, longe dos preconceitos que os perturbam e sem pensar nos empregos que têm ou esperam ter, nos interesses a que servem, nos sufrágios que ambicionam, nas distinções que embalam a sua vaidade: que se interroguem e digam se, até hoje, o princípio de que todo trabalho deve deixar um excedente se lhes apareceu com esta cadeia de preliminares e consequências que nós ressaltamos.*

II
A metafísica da economia política

O método
(numérico) da
economia política

1
O método

Eis-nos em plena Alemanha! Teremos de falar a linguagem da metafísica, sem abandonar a da economia política. E, ainda aqui, apenas seguimos as "contradições" do Sr. Proudhon. Até há pouco, ele nos obrigava a falar inglês, a nos tornar sofrivelmente ingleses. Agora, a cena muda: o Sr. Proudhon nos conduz à nossa querida pátria e nos força a recuperar, apesar de nós, a nossa qualidade de alemão.

Se o inglês transforma os homens em chapéus, o alemão transforma os chapéus em ideias. O inglês é Ricardo, banqueiro rico e distinto economista; o alemão é Hegel, simples professor de filosofia na Universidade de Berlim.

Luís XV, último rei absoluto, tinha a seu serviço um médico que era o primeiro economista da França. Esse médico, esse economista, representava o triunfo iminente e seguro da burguesia francesa. O Dr. Quesnay fez da economia política uma ciência; ele a resumiu no seu famoso *Quadro econômico*. Além dos mil e um comentários aparecidos sobre este quadro, temos um, do próprio doutor.

É a "análise do quadro econômico", seguida de "sete *observações importantes*".

O Sr. Proudhon é um outro Dr. Quesnay. É o Quesnay da metafísica da economia política.

Ora, a metafísica, a filosofia inteira se resume, segundo Hegel, no método. É necessário, pois, que procuremos esclarecer o método do Sr. Proudhon, pelo menos tão tenebroso quanto o *Quadro econômico*. Para isso, apresentaremos sete observações mais ou menos importantes. Se o Sr. Proudhon não se contentar com elas, que se transforme em um Abade Baudeau e forneça pessoalmente a "explicação de método econômico-metafísico".

Primeira observação

> *Nós não fazemos uma história segundo a ordem temporal, mas segundo a sucessão das ideias. As fases ou categorias econômicas são, em sua manifestação, ora contemporâneas, ora invertidas... As teorias nem por isso deixam de ter a sua sucessão lógica e a sua série no entendimento: é esta ordem que nos orgulhamos de ter descoberto[66].*

Decididamente, o Sr. Proudhon quis amedrontar os franceses, lançando-lhes na cara frases quase hegelianas. Temos, pois, que nos haver com dois homens: primeiro, o Sr. Proudhon se distingue dos outros economistas? E Hegel, que papel desempenha na economia política do Sr. Proudhon?

Os economistas exprimem as relações da produção burguesa, a divisão do trabalho, o crédito, a moeda etc., como categorias fixas, imutáveis, eternas. O Sr. Proudhon, que tem à sua frente essas categorias já formadas, quer nos explicar o ato de formação, a geração dessas categorias, princípios, leis, ideias, pensamentos.

Os economistas nos explicam como se produz nessas relações dadas, mas não nos explicam como se produzem essas relações, isto é, o movimento histórico que as engendra. O Sr. Proudhon, tomando essas relações como princípios, categorias, pensamentos abstratos, tem apenas que *ordenar* esses pensamentos, que, alfabeticamente dispostos, encontram-se no final de qualquer tratado de economia política. Os materiais dos economistas são a vida ativa e atuante dos homens; os materiais do Sr. Proudhon são os dogmas dos economistas. Mas, a partir do momento em que não se persegue o movimento histórico das relações de produção, de que as categorias são apenas a expressão teórica, a partir do momento em que se quer ver nessas categorias somente ideias, pensamentos espontâneos, independentes das relações reais, a partir de então se é forçado a considerar o movimento da razão pura como a origem desses pensamentos. Como a razão pura, eterna, impessoal, engendra esses pensamentos? Como ela procede para produzi-los?

Se tivéssemos a intrepidez do Sr. Proudhon em matéria de hegelianismo, diríamos: Em si mesma, ela se distingue de si mesma. O que significa isso? A razão impessoal, não tendo fora de si nem terreno sobre o qual possa pôr-se, nem objeto ao qual possa opor-se, vê-se forçada a uma cambalhota, pondo-se, opondo-se e compondo-se – posição, oposição, composição. Para falar grego, temos a tese, a antítese e a síntese. Quanto aos que desconhecem a linguagem hegeliana, dir-lhes-emos a fórmula sacramental: afirmação, negação e negação da negação. Eis o que significa isso. Claro, não se trata de hebraico, não se ofenda o Sr. Proudhon; trata-se da linguagem desta razão tão pura, separada do indivíduo.

Em lugar do indivíduo comum, com sua maneira comum de falar e pensar, o que temos é esta maneira comum inteiramente pura, sem o indivíduo.

Há razão para se espantar se todas as coisas, em última abstração – porque aqui há abstração e não análise –, se apresentam no estado de categoria lógica? Há razão para se espantar se, abandonando aos poucos tudo o que constitui o individualismo[67] de uma casa, abstraindo os materiais de que ela se compõe e a forma que a distingue, chega-se a ter apenas um corpo; e se, abstraindo os limites desse corpo, obtém-se somente um espaço, acaba-se por ter apenas a pura quantidade, a categoria lógica? À força de abstrair assim de todo objeto todos os pretensos acidentes, animados ou inanimados, homens ou coisas, temos razão de dizer que, em último grau de abstração, chegamos às categorias lógicas como substância. Assim, os metafísicos que, fazendo tais abstrações, acreditam fazer análise e que, na medida em que se afastam progressivamente dos objetos, imaginam aproximar-se deles para penetrá-los, estes metafísicos têm, por sua vez, razão de dizer que as coisas aqui na terra são bordados, cujo pano de fundo é constituído pelas categorias lógicas. Eis o que distingue o filósofo do cristão: este, a despeito da lógica, só conhece uma encarnação do Logos; o filósofo conhece-as infinitas. Tudo o que existe, tudo o que vive sobre a terra e sob a água, possa ser reduzido, à força da abstração, a uma categoria lógica; que, desse modo, todo o mundo real possa submergir no mundo das abstrações, no mundo das categorias lógicas – quem se espantará com isso?

Tudo o que existe, tudo o que vive sobre a terra e sob a água, existe e vive graças a um momento qualquer. Assim, o movimento da história produz as relações sociais, o movimento industrial nos proporciona os produtos industriais etc. etc.

Da mesma forma como, à força da abstração, transformamos todas as coisas em categorias lógicas, basta-nos somente abstrair todo caráter distintivo dos diferentes movimentos para chegar ao movimento em estado abstrato, ao movimento puramente formal, à fórmula puramente lógica do movimento. Caso se encontre nas categorias lógicas a substância de todas as coisas, imagina-se encontrar na fórmula lógica do movimento o método *absoluto*, que tanto explica todas as coisas como implica, ainda, o movimento delas.

É desse método absoluto que Hegel fala, nestes termos:

> *O método é a força absoluta, única, suprema, infinita, a que nenhum objeto poderia resistir; é a tendência da razão a reencontrar-se e reconhecer-se em todas as coisas[68].*

Reduzidas todas as coisas a uma categoria lógica e todo movimento, todo ato de produção ao método, a consequência natural é a redução de qualquer conjunto de produtos e de produção, de objetos e de movimentos a uma metafísica aplicada. O que Hegel fez em relação à religião, ao direito etc., o Sr. Proudhon procura fazer em relação à economia política.

Mas o que é esse método absoluto? A abstração do movimento. E o que é a abstração do movimento? O movimento em estado abstrato. O que é o movimento em estado abstrato? A fórmula puramente lógica do movimento ou o movimento da razão pura. Em que consiste o movimento da razão pura? Consiste em se por, se opor, se compor, formular-se como tese, antítese, síntese ou, ainda, afir-mar-se, negar-se, negar sua negação.

Como opera a razão para se afirmar, para se pôr como categoria determinada? Isso é tarefa da própria razão e de seus apologetas.

Mas, uma vez que a razão conseguiu pôr-se como tese, essa tese, esse pensamento, oposto a si mesmo, desdobra-se em dois pensamentos contraditórios, o positivo e o negativo, o sim e o não. A luta entre esses dois elementos antagônicos, compreendidos na antítese, constitui o movimento dialético. O sim se tornando não, o não se tornando sim, o sim se tornando simultaneamente sim e não, o não se tornando simultaneamente não e sim, contrários se equilibram, neutralizam, paralisam. A fusão desses dois elementos contraditórios que, por seu turno, se fundem em uma nova síntese. Desse trabalho de processo de criação nasce um grupo de pensamentos. Esse grupo de pensamentos segue o mesmo movimento dialético de uma categoria simples, e tem por antítese um grupo contraditório. Desses dois grupos de pensamento nasce um novo, que é sua síntese.

Assim como do movimento dialético das categorias simples nasce o grupo, do movimento dialético dos grupos nasce a série e do movimento dialético das séries nasce todo o sistema.

Aplica-se este método à economia política e ter-se-á a lógica e a metafísica da economia política ou, em outros termos, as categorias econômicas que todos conhecem traduzidas numa linguagem pouco conhecida, o que lhes dá a aparência de recém-desabrochadas de uma cabeça da razão pura; porque essas categorias parecem engendrar-se uma às outras, encadear-se e entrelaçar-se umas às outras graças ao exclusivo trabalho do movimento dialético. O leitor que não se espante com essa metafísica e todos os seus andaimes de categorias, grupos, séries e sistemas. O Sr. Proudhon, apesar de todo o seu grande esforço para escalar o cimo do *sistema das contradições*, jamais conseguiu passar dos dois primeiros degraus da tese e da antítese simples e, ademais, só os alcançou duas vezes, e, numa delas, caiu de costas.

Até agora, expusemos apenas a dialética de Hegel. Mas tarde, veremos como o Sr. Proudhon conseguiu reduzi-la às mais mesquinhas proporções. Para Hegel, portanto, tudo o que ocorreu e que ainda ocorre é precisamente o que ocorre em seu próprio raciocínio. Assim, a filosofia da história não é mais que a história da filosofia, de sua própria filosofia. Já não há, apenas, a "sucessão das ideias no entendimento". Ele acredita construir o mundo pelo movimento do pensamento, enquanto somente reconstrói, de forma sistemática e ordenando segundo o método absoluto, as ideias que estão na cabeça de todo mundo.

Segunda observação

As categorias econômicas são expressões teóricas, abstrações das relações sociais de produção. O Sr. Proudhon, qual um filósofo autêntico, tomando as coisas ao inverso, vê nas relações reais as encarnações desses princípios, dessas categorias que, como nos diz ainda o filósofo Sr. Proudhon, estariam adormecidas no seio da "razão impessoal da humanidade".

O Sr. Proudhon, o economista, compreendeu muito bem que os homens fazem os tecidos de lã, algodão e seda em relações determinadas de produção. Mas o que ele não compreendeu é que essas relações sociais determinadas são também produzidas pelos homens, como os tecidos de algodão, linho etc. As relações sociais estão intimamente ligadas às forças produtivas. Adquirindo novas forças produtivas, os homens transformam o seu modo de produção e, ao transformá-lo, alterando a maneira de ganhar a sua vida, eles transformam todas as suas relações sociais. O moinho movido pelo braço humano nos dá a sociedade com o suserano; o moinho a vapor nos dá a sociedade com o capitalista industrial.

Os mesmos homens que estabeleceram as relações sociais de acordo com a sua produtividade material produzem, também, os princípios, as ideias, as categorias conforme as suas relações sociais.

Assim, essas ideias, essas categorias são tão pouco eternas quanto as relações que exprimem. Elas são *produtos históricos e transitórios*.

Há um movimento contínuo de crescimento nas forças produtivas, de destruição nas relações sociais, de formação nas ideias; de imutável, só existe a abstração do movimento – *mors immortalis*.

Terceira observação

As relações de produção de qualquer sociedade constituem um todo. O Sr. Proudhon considera as relações econômicas como umas tantas fases sociais que engendram umas as outras, que resultam umas das outras assim como a antítese resulta da tese, e que realizam, na sua sucessão lógica, a razão impessoal da humanidade.

O único inconveniente desse método é que, ao abordar o exame de apenas uma dessas fases, o Sr. Proudhon só possa explicá-la recorrendo a todas as outras relações da sociedade que, no entanto, ele ainda não engendrou pelo seu movimento dialético. Quando, em seguida, o Sr. Proudhon, através da razão pura, passa a engendrar outras fases, fá-lo-á como se fossem recém-nascidas, esquecendo-se que tem a mesma idade da primeira.

Assim, para chegar à constituição do valor que, para ele, é a base de todas as evoluções econômicas, não podia prescindir da divisão do trabalho, da concorrência etc. Entretanto, na série, no entendimento do Sr. Proudhon, na sucessão lógica, tais relações ainda não existiam.

Construindo-se com as categorias da economia política o edifício de um sistema ideológico, deslocam-se os componentes do sistema social. Transformam-se os diferentes componentes da sociedade em várias sociedades, que se sucedem umas às outras. De fato, como é que a fórmula lógica do movimento, da sucessão, do tempo, poderia explicar, sozinha, o corpo social, no qual todas as relações coexistem simultaneamente, sustentando-se umas às outras?

Quarta observação

Vejamos agora quais são as modificações que o Sr. Proudhon impõe à dialética de Hegel ao aplicá-la à economia política. Para o Sr. Proudhon, toda categoria econômica tem dois lados, um bom, um outro mau. Ele considera as categorias como o pequeno-burguês considera os grandes homens da história: Napoleão é um grande homem; fez muita coisa boa, mas, também, fez muita coisa má.

O lado bom e o lado mau, a vantagem e o inconveniente, tomados em conjunto constituem, para o Sr. Proudhon, a contradição em cada categoria econômica.

Problema a resolver: conservar o lado bom, eliminando o lado mau.

A escravidão é uma categoria econômica como qualquer outra. Portanto, também possui seus dois lados. Deixemos o lado mau e falemos do lado bom da escravidão, esclarecendo que se trata da escravidão direta, a dos negros no Suriname, no Brasil, nas regiões meridionais da América do Norte.

A escravidão direta é o eixo da indústria burguesa, assim como as máquinas, o crédito etc. Sem escravidão, não teríamos o algodão; sem o algodão, não teríamos a indústria moderna. A escravidão valorizou as colônias, as colônias criaram o comércio universal, o comércio que é condição para a grande indústria. Por isso, a escravidão é uma categoria econômica da mais alta importância.

Sem a escravidão, a América do Norte, o país mais progressista, transformar-se-ia num país patriarcal. Tire-se a América do Norte do mapa do mundo e ter-se-á a anarquia, a completa decadência do comércio e da civilização modernos. Suprima-se a escravidão e ter-se-á apagado a América do Norte do mapa das nações[69].

Assim, a escravidão, por ser uma categoria econômica, sempre existiu nas instituições dos povos. Os povos modernos conseguiram apenas disfarçar a escravidão em seus próprios países, impondo-a sem disfarce no novo mundo.

Como fará o Sr. Proudhon para salvar a escravidão? Ele colocará o problema: conservar o lado bom dessa categoria econômica e eliminar o lado mau.

Hegel não tem problemas a colocar. Ele possui apenas a dialética. Da dialética de Hegel, o Sr. Proudhon só tem a linguagem. O movimento dialético, para ele, é a distinção dogmática entre o bom e o mau.

Tomemos, por um instante, o próprio Sr. Proudhon como categoria. Examinemos seu lado bom e seu lado mau, suas vantagens e seus inconvenientes.

Se, em relação a Hegel, ele tem a vantagem de colocar problemas, reservando-se a resolvê-los para o bem maior da humanidade, tem o inconveniente de ser atacado de esterilidade quando se trata de engendrar, através do trabalho da elaboração dialética, uma categoria nova. O que constitui o movimento dialético é a coexistência de dois lados contraditórios, sua luta e sua fusão numa categoria nova. É suficiente colocar o problema da eliminação do lado mau para liquidar o movimento dialético. Não é a categoria que se põe e se opõe a si mesma pela sua natureza contraditória; é o Sr. Proudhon que se move, se debate e se agita entre os dois lados da categoria.

Situado assim num impasse, do qual é difícil escapar pelos meios legais, o Sr. Proudhon realiza um verdadeiro malabarismo que o transporta a uma categoria nova. É então que se revela, a seus olhos assombrados, a série no entendimento.

Ele toma a primeira categoria que aparece e lhe atribui, arbitrariamente, a qualidade de veicular a correção dos inconvenientes da categoria que é necessário depurar. Assim, os impostos corrigem, a crer-se no Sr. Proudhon, os inconvenientes do monopólio; a balança comercial, os dos impostos; a propriedade fundiária, os do crédito.

Tomando, dessa maneira, as categorias econômicas sucessivamente uma a uma e fazendo desta o antídoto daquela, o Sr. Proudhon consegue construir, com uma mistura de contradições e antídotos de contradições, dois volumes de contradições, a que dá, com justa razão, o título de *O sistema das contradições econômicas*.

Quinta observação

> *Na razão absoluta, todas essas ideias... são igualmente simples e gerais... De fato, só chegamos à ciência através de uma espécie de andaime de nossas ideias. Mas a verdade em si é independente dessas figuras dialéticas e livre das combinações de nosso espírito*[70].

Repentinamente, graças a uma espécie de reviravolta cujo segredo já conhecemos, eis que a metafísica da economia política tornou-se uma ilusão! Jamais o Sr. Proudhon disse algo tão verdadeiro. É claro que, a partir do momento em que o processo do movimento dialético se reduz ao simples procedimento de opor o bem ao mal, de colocar problemas destinados à eliminação do mal e de apresentar uma categoria como antídoto da outra, a partir desse momento as categorias perdem sua espontaneidade; a ideia "já não funciona", já não tem vida em si mesma. Ela não se põe nem se decompõe mais em categorias. A sucessão destas tornou-se uma espécie de andaimes. A dialética não é mais o movimento da razão absoluta. Não há mais dialética; há, no máximo, a moral pura.

Quando o Sr. Proudhon falava da série no entendimento, da sucessão lógica das categorias, declarava positivamente que não pretendia expor a história segundo a ordem temporal, ou seja, de acordo com o Sr. Proudhon, a sucessão histórica na qual as categorias se manifestaram. Tudo se passava, então, para ele, no éter puro da razão. Tudo devia derivar desse éter graças à dialética. Agora, quando se trata de colocar em prática tal dialética, a razão o abandona. A dialética do Sr. Proudhon renega a de Hegel, e ei-lo compelido a dizer que a ordem em que apresenta as categorias econômicas não é aquela pela qual elas se engendram umas às outras. As evoluções econômicas já não são mais as evoluções da própria razão.

O que, então, o Sr. Proudhon nos apresenta? A história real, isto é, segundo o seu entendimento, a sucessão pela qual as categorias se manifestam na ordem do tempo? Não. A história tal como se desenvolve na própria ideia? Menos ainda. Portanto, nem a história profana nem a história sagrada das categorias. Enfim, que história ele nos oferece? A história das suas próprias contradições. Vejamos como elas arrastam atrás de si o Sr. Proudhon.

Antes de abordar o exame dessa questão, que constituirá a nossa sexta observação importante, temos, ainda, que fazer uma outra observação, menos importante.

Admitamos com o Sr. Proudhon que a história real, a história segundo a ordem temporal, é a sucessão histórica na qual as ideias, as categorias, os princípios se manifestaram.

Cada princípio teve o seu século para nele se manifestar: o princípio da autoridade, por exemplo, teve o século XI, como o do individualismo teve o XVIII. De consequência em consequência, era o século que pertencia ao princípio, e não o princípio ao século. Noutros termos: era o princípio que fazia história, não a história ao princípio. Quando, em seguida, tanto para salvar os princípios como a história, indaga-se por que tal princípio se manifestou nos séculos XI ou XVIII e não em outros, é-se obrigatoriamente forçado a examinar com minúcia quais eram os homens dos séculos XI e XVIII, quais eram suas respectivas necessidades, suas forças produtivas, seu modo de produção, as matérias-primas da sua produção, enfim, quais eram as relações entre os homens que resultavam de todas essas condições de existência. Aprofundar todas essas questões não é fazer a história real, profana, dos homens em cada século, representar esses homens simultaneamente como os autores e os atores do seu próprio drama? Mas, a partir do momento em que os homens são representados como atores e autores da sua própria história, chega-se, por um atalho, ao verdadeiro ponto de partida, uma vez que são abandonados os princípios eternos de que inicialmente se arrancava.

O Sr. Proudhon não avançou o suficiente nem mesmo nesses atalhos que o ideólogo persegue para alcançar a grande estrada da história.

Sexta observação

Com o Sr. Proudhon, tomemos um atalho.

Aceitemos que as relações econômicas, consideradas como leis imutáveis, princípios eternos, categorias ideais, sejam anteriores aos homens; aos homens ativos e atuantes; admitamos, ainda, que essas leis, esses princípios, essas categorias, desde a origem dos tempos, tenham estado adormecidas "no seio da razão impessoal da humanidade". Já vimos que, com todas essas eternidades imutáveis e imóveis, não há história; há, no máximo, a história na ideia, ou seja, a história que se reflete no movimento dialético da razão pura. O Sr. Proudhon, afirmando que, no movimento dialético, as ideias já não se "diferenciam", anulou quer a sombra do movimento quer o movimento das sombras, através das quais, pelo menos, poder-se-ia criar um simulacro de história. Ao invés, ele imputa à história a sua própria impotência e reclama de tudo, até da língua francesa.

> Não é exato [diz o Sr. Proudhon filósofo] dizer que qualquer coisa acontece, que qualquer coisa se produz: na civilização, como no universo, tudo existe, tudo atua desde sempre. O mesmo acontece com toda a economia social[71].

Tamanha é a força das contradições que funcionam e que fazem funcionar o Sr. Proudhon que, pretendendo explicar o aparecimento sucessivo das relações sociais, ele nega que qualquer coisa possa acontecer, que, pretendendo explicar a produção com todas as suas fases, ele contesta que qualquer coisa possa produzir-se.

Portanto, para o Sr. Proudhon, já não há história, já não há sucessão de ideias e, entretanto, o seu livro ainda subsiste; e esse livro é, precisamente, de acordo com sua expressão, a história segundo a sucessão das ideias. Como encontrar uma fórmula, porque o Sr. Proudhon é o homem das fórmulas, que o ajude a ultrapassar, com um único salto, todas as suas contradições?

Para isso, ele inventou uma razão nova, que não é nem a razão absoluta, pura e virgem, nem a razão comum dos homens ativos e atuantes nos diferentes tempos, mas uma razão inteiramente à parte: a razão da sociedade-pessoa, do sujeito-humanidade, que sob a pena do Sr. Proudhon surge às vezes como gênio social, razão geral e, por último, como *razão humana*. Essa razão, travestida com tantos nomes, dá-se, todavia, a conhecer, a cada instante, como a razão individual do Sr. Proudhon, com seus lados bom e mau, seus antídotos e seus problemas.

"A razão humana não cria a verdade"; oculta nas profundezas da razão absoluta, eterna, pode apenas desvelá-la. Mas as verdades que, até hoje, ela desvelou são incompletas, insuficientes e, por isso mesmo, contraditórias. Portanto, as categorias, sendo elas mesmas verdades descobertas, reveladas pela razão humana, pelo gênio social, são igualmente incompletas, contendo o germe da contradição. Antes do Sr. Proudhon, o gênio social viu somente os *elementos antagônicos*, e não a *fórmula sintética*, ambos ocultos, simultaneamente, na *razão absoluta*. Apenas realizando sobre a terra essas verdades insuficientes, essas categorias incompletas, essas noções contraditórias, as relações econômicas são, pois, em si mesmas, contraditórias e apresentam os dois lados, um bom, outro mau.

Encontrar a verdade completa, a noção em toda a sua plenitude, a fórmula sintética que aniquile a economia, eis o problema do gênio social. Eis também por que, na ilusão do Sr. Proudhon, o mesmo gênio social foi conduzido de uma categoria a outra, sem ter conseguido ainda, com toda a sua bateria categorial, arrancar a Deus, à razão absoluta, uma fórmula sintética.

> *Inicialmente [o gênio social] postula um primeiro fato, formula uma hipótese... verdadeira antinomia, cujos resultados antagônicos se desenrolam*

> *na economia social da mesma forma
> como as consequências poderiam ser
> deduzidas no espírito; de modo que o
> movimento industrial, seguindo em tudo
> a dedução das ideias, divide-se em dois
> fluxos: um, dos efeitos úteis, e outro, dos
> resultados subversivos... Para constituir
> harmonicamente esse princípio dúplice
> e resolver essa antinomia, a sociedade
> cria uma segunda antinomia, que logo
> será seguida de uma terceira, e esta será
> a marcha do gênio social até que esgote
> todas as suas contradições – suponho,
> embora isso não esteja provado, que a
> contradição na humanidade não terá fim –,
> regressando, com um salto, a todas as suas
> posições anteriores e resolvendo, em uma só
> fórmula, todos os seus problemas[72].*

Do mesmo modo como, antes, a *antítese* era transformada em *antídoto*, agora a *tese* se torna *hipótese*. Essa alteração de termos não tem por que nos surpreender, em se tratando do Sr. Proudhon. A razão humana, que é tudo, exceto pura, sendo capaz apenas de visões incompletas, encontra, a cada passo, novos problemas a resolver. Cada nova tese que descobre na razão absoluta e que é a negação da primeira tese torna-se, para ela, uma síntese, que aceita ingenuamente como a solução do problema em causa. Eis por que essa razão se debate em contradições sempre novas até que, não mais as encontrando, se apercebe que todas as suas teses e sínteses são apenas hipóteses contraditórias. Em sua perplexidade,

> *a razão humana, o gênio social, regressa,
> com um salto, a todas as suas posições
> anteriores e resolve, numa só fórmula,
> todos os seus problemas.*

Essa fórmula única, diga-se de passagem, constitui a verdadeira descoberta do Sr. Proudhon. É o "valor constituído".

Sempre se formulam hipóteses com vistas a um fim qualquer. O fim visado primeiramente pelo gênio social que fala pela boca do Sr. Proudhon era eliminar o que havia de mau em cada categoria econômica, para resguardar nela apenas o lado bom. Para ele, o bom, o bem supremo, o fim prático, é a *igualdade*. E por que o gênio social se propunha mais à igualdade que à desigualdade, à fraternidade, ao catolicismo ou a qualquer outro princípio? Porque

> *a humanidade só realizou sucessivamente tantas hipóteses particulares tendo em vista uma hipótese superior,*

que, precisamente, é a igualdade. Em outras palavras: porque a igualdade é o ideal do Sr. Proudhon. Ele imagina que a divisão do trabalho, o crédito, a fábrica, todas as relações econômicas foram inventadas apenas em proveito da igualdade e, no entanto, sempre se voltando contra ela. Já que a história e a ficção do Sr. Proudhon conflitam a cada passo, ele deduz que nesse fato existe contradição. Se existe contradição, é apenas entre a sua ideia fixa e o movimento real.

Daqui em diante, o lado bom de uma relação econômica é o que afirma a igualdade; o mau é o que a nega e afirma a desigualdade. Toda nova categoria é uma hipótese do gênio social para eliminar a desigualdade engendrada pela hipótese precedente. Em resumo, a igualdade é a *intenção primitiva*, a *tendência mística*, o *objetivo providencial* que o gênio social tem sempre em vista, girando no círculo das contradições econômicas. Por isso, toda a bagagem econômica do Sr. Proudhon é mais bem transportada pela locomotiva da *Providência* que pela sua razão pura e etérea. Ele consagra todo um capítulo à Providência, que é seguido por um sobre os impostos.

Providência, fim providencial, eis a grande palavra que se utiliza hoje para explicar a marcha da história. Na realidade, esta palavra não explica nada. É, no máximo, uma forma declamatória, uma maneira, como qualquer outra, de parafrasear os fatos.

É verdade que, na Escócia, as propriedades fundiárias adquiriram um valor novo pelo desenvolvimento da indústria inglesa, que abriu novos mercados para a lã. Para produzir lã em grande escala, era preciso transformar os campos de lavoura em pastagens. Para realizar essa transformação, era preciso concentrar a propriedade. Para concentrar a propriedade, era preciso erradicar as pequenas fazendas de arrendatários, expulsar milhares deles da sua terra natal e substituí-los por uns quantos pastores encarregados de cuidar de milhões de ovelhas. Assim, através de sucessivas transformações, a propriedade fundiária resultou, na Escócia, na expulsão dos homens pelas ovelhas. Diga-se, pois, que o fim providencial da instituição da propriedade fundiária na Escócia objetivava expulsar os homens, substituindo-os pelas ovelhas, e ter-se-á feito história providencial.

É indiscutível que a tendência à igualdade pertence ao nosso século. Dizer, todavia, que todos os séculos anteriores, com necessidades, meios de produção etc. totalmente diferentes, operaram providencialmente para a realização da igualdade, é, antes de tudo, substituir pelos meios e homens do nosso século os meios e homens de séculos anteriores e desconhecer o movimento histórico através do qual as gerações sucessivas transformam os resultados adquiridos pelas que as precederam. Os economistas sabem muito bem que a mesma coisa que, num caso, é matéria trabalhada, noutro é matéria-prima de uma nova produção.

Suponha-se, como o faz o Sr. Proudhon, que o gênio social tenha produzido, ou, sobretudo, improvisado, os senhores feudais com o fim providencial de transformar os *colonos* em *trabalhadores responsáveis e igualitários*. Ter-se-á, assim, uma substituição de fins e pessoas digna dessa Providência que, na Escócia, instituía a propriedade fundiária para se dar ao maligno prazer de contemplar a expulsão dos homens pelas ovelhas.

Mas, posto que o Sr. Proudhon tenha um interesse tão terno pela Providência, remetemo-lo à *História da economia política*, do Sr. Villeneuve-Bargemont, que, também ele, corre atrás de um fim providencial. Esse fim já não é a igualdade, é o catolicismo.

Sétima e última observação

Os economistas possuem uma maneira singular de proceder. Para eles, só existem duas espécies de instituições, as artificiais e as naturais. As instituições do feudalismo são artificiais, as da burguesia são naturais. Nisso, eles se parecem aos teólogos, que também estabelecem dois tipos de religião: a sua é a emanação de Deus, as outras são invenções do homem. Dizendo que as relações atuais – as relações da produção burguesa – são naturais, os economistas dão a entender que é nessas relações que a riqueza se cria e as forças produtivas se desenvolvem segundo as leis da natureza. Portanto, essas relações são, elas mesmas, leis naturais independentes da influência do tempo. São leis eternas que devem, sempre, reger a sociedade. Assim, houve história, mas já não há mais. Houve história porque existiram instituições do feudalismo e porque, nelas, encontram-se relações de produção inteiramente diferentes daquelas da sociedade burguesa, que os economistas querem fazer passar por naturais e, logo, eternas.

O feudalismo também possuía seu proletariado – os servos, que continha todos os germes da burguesia. A produção feudal também possuía dois elementos antagônicos. Designados igualmente sob o nome de *o lado bom* e *o lado mau* do feudalismo, sem se considerar que sempre o lado mau sobrepôs-se ao bom. É o lado mau que produz o movimento que faz a história, constituindo a luta. Se, na época da dominação do feudalismo, os economistas, entusiasmados com as virtudes cavalheirescas, com a bela harmonia entre deveres e direitos, com a vida patriarcal das cidades, com o estado de prosperidade da indústria doméstica nos campos, com o desenvolvimento da indústria organizada pelas corporações, confrarias e grêmios, enfim, com tudo o que constitui o lado bom do feudalismo, resolvessem eliminar tudo o que tornava sombrio esse quadro – servidão, privilégios, anarquia –, o que aconteceria? Ter-se-ia eliminado todos os elementos constitutivos da luta e sufocado, no seu embrião, o desenvolvimento da burguesia. Ter-se-ia colocado o absurdo problema de liquidar a história.

Quando a burguesia se impôs, não se colocou a questão do lado bom e do lado mau do feudalismo. Ela incorporou as forças produtivas que desenvolvera sob a feudalidade. Foram destruídas todas as antigas formas econômicas, as relações civis que lhes correspondiam, o estado político que era a expressão oficial da antiga sociedade civil.

Assim, para avaliar corretamente a produção feudal, é preciso considerá-la como um modo de produção fundado no antagonismo. É preciso mostrar como a riqueza se produzia no interior desse antagonismo, como as forças produtivas se desenvolviam ao mesmo tempo em que o antagonismo entre as classes, como uma dessas classes, o lado mau, o inconveniente da sociedade, ia sempre crescendo, até que as condições materiais da sua emancipação alcançassem o ponto da maturidade. Não é o mesmo que dizer que o modo de produção, as relações nas quais as forças produtivas se desenvolvem, não são leis eternas, mas correspondem a um desenvolvimento determinado dos homens e das suas forças produtivas e que uma transformação nas forças produtivas dos homens conduz necessariamente a uma transformação em suas relações de produção? Como o que importa principalmente é não se privar dos frutos da civilização, das forças produtivas adquiridas, é preciso liquidar as formas tradicionais em que elas se produziram. A partir de então, a classe revolucionária torna-se conservadora.

A burguesia começa com um proletariado que, por seu turno, é um resto do proletariado dos tempos feudais. No curso do seu desenvolvimento histórico, a burguesia desenvolve necessariamente o seu caráter antagônico que, inicialmente, aparece mais ou menos disfarçado, existindo apenas em estado latente. Na medida em que a burguesia se desenvolve, prospera em seu interior um novo proletariado, um proletariado moderno: desenvolve-se uma luta entre a classe proletária e a classe burguesa, luta que, antes de ser sentida por ambos os lados, percebida, avaliada, compreendida, confessada e proclamada abertamente, manifesta-se previamente apenas por conflitos parciais e momentâneos, por episódios subversivos. Por sua vez, se todos os membros da burguesia moderna têm o mesmo interesse, enquanto formam uma classe frente à outra classe, eles têm interesses opostos, antagônicos, enquanto se defrontam entre si. Essa oposição de interesses decorre das condições econômicas da vida burguesa. Dia após dia, torna-se assim mais claro que as relações de produção nas quais a burguesia se move não têm um caráter uno, simples, mas um caráter dúplice; que nas mesmas relações em que se produz a riqueza, também se produz a miséria; que nas mesmas relações onde há desenvolvimento das forças produtivas, há uma força produtora de repressão; que essas relações só produzem a *riqueza burguesa*, ou seja, a riqueza da classe burguesa, destruindo continuamente a riqueza dos membros integrantes dessa classe e produzindo um proletariado sempre crescente.

Quanto mais se evidencia esse caráter antagônico, quanto mais os economistas, os representantes científicos da produção burguesa, se embaraçam com a sua própria teoria, se formam diferentes escolas.

Temos os economistas *fatalistas*, que, na sua teoria, são tão indiferentes ao que chamam inconvenientes da produção burguesa quanto os próprios burgueses; na prática, são-no face aos sofrimentos dos proletários que os auxiliam a adquirir riquezas. Nessa escola fatalista, há clássicos e românticos. Os clássicos, como Adam Smith e Ricardo, representam uma burguesia que, lutando ainda contra os restos da sociedade feudal, trabalha apenas para depurar as relações econômicas das marcas feudais, para aumentar as forças produtivas e para dar um novo impulso à indústria e ao comércio. Participando dessa luta, o proletariado, absorvido nesse trabalho febril, tem apenas sofrimentos passageiros, acidentais, e ele mesmo os vê desse modo. Os economistas como Adam Smith e Ricardo, que são os historiadores daquela época, não têm outra missão que a de demonstrar como a riqueza se adquire nas relações de produção burguesa, de formular essas relações em categorias, em leis e de demonstrar como tais leis, essas categorias são para a produção de riquezas superiores às leis e às categorias da sociedade feudal. A miséria, a seus olhos, é apenas a dor que acompanha toda gestação, tanto na natureza como na indústria. Os românticos pertencem à nossa época, na qual a burguesia se encontra em oposição direta ao proletariado, na qual a miséria se engendra tão abundantemente como a riqueza. Então, os economistas se apresentam como fatalistas enfastiados que, do alto da sua posição, lançam um olhar de soberbo desprezo sobre os homens-máquina que fabricam as riquezas. Plagiam todos os desenvolvimentos feitos pelos seus antecessores, e a indiferença que, naqueles, era ingenuidade, neles se converte em afetação.

A seguir, vem a *escola humanitária*, que toma a peito o lado mau das relações de produção atuais. Ela procura, para desencargo de consciência, amenizar, ainda que minimamente, os contrastes reais; deplora sinceramente a infelicidade do proletariado, a concorrência desenfreada dos burgueses entre si; aconselha aos operários a sobriedade, o trabalho consciencioso e a limitação dos filhos; recomenda aos burgueses dedicarem-se à produção com entusiasmo refletido. Toda a teoria dessa escola assenta sobre as distinções intermináveis entre a teoria e a prática, os princípios e os resultados, a ideia e a aplicação, o conteúdo e a forma, a essência e a realidade, o direito e o fato, os lados bom e mau.

A *escola filantrópica* é a escola humanitária aperfeiçoada. Ela nega a necessidade do antagonismo; quer tornar burgueses todos os homens e quer realizar a teoria na medida em que esta se distingue da prática e não contém nenhum antagonismo. É supérfluo dizer que, na teoria, é fácil abstrair as contradições que, na realidade, se encontram a cada instante. Essa teoria, pois, corresponderia à realidade idealizada. Assim, os filantropos querem conservar as categorias que exprimem as relações burguesas sem o antagonismo que as constitui e que é inseparável delas. Imaginam combater seriamente a prática burguesa e são mais burgueses que os outros.

Assim como os *economistas* são os representantes científicos da classe burguesa, os *socialistas* e os *comunistas* são os teóricos da classe proletária. Enquanto o proletariado ainda não está bastante desenvolvido para se constituir como classe e, consequentemente, a sua própria luta com a burguesia não tem ainda um caráter político; enquanto as forças produtivas ainda não estão bastante desenvolvidas, no seio mesmo da burguesia, para possibilitar uma antevisão das condições materiais necessárias à libertação do proletariado e à formação de uma sociedade nova; esses teóricos são apenas utopistas que, para amenizar os sofrimentos das classes oprimidas, improvisam sistemas e correm atrás de uma ciência regeneradora. Mas, na medida em que a história avança e, com ela, a luta do proletariado se desenha mais claramente, eles não precisam mais procurar a ciência em seu espírito; basta-lhes dar conta do que passa ante seus olhos e se tornarem porta-vozes disso. Enquanto procuram a ciência e apenas formulam sistemas, enquanto se situam nos inícios da luta, eles veem na miséria somente a miséria, sem observarem nela o lado revolucionário, subversivo, que derrubará a velha sociedade. A partir dessa observação, a ciência produzida pelo movimento histórico, e que se vincula a ele com pleno conhecimento de causa, deixa de ser doutrinária e se torna revolucionária.

Voltemos ao Sr. Proudhon.

Cada relação econômica tem um lado bom e um lado mau – este é o único ponto em que o Sr. Proudhon não se desmente. O lado bom, ele o vê exposto pelos economistas; o mau, denunciado pelos socialistas. Dos economistas, ele toma a necessidade de relações eternas; dos socialistas, a ilusão de ver na miséria apenas a miséria. Ele concorda com uns e outros na referência à autoridade da ciência. Esta, para ele, reduz-se às magras proporções de uma fórmula científica; ele é o homem à caça de fórmulas. É assim que o Sr. Proudhon se jacta de ter feito a crítica da economia política e do comunismo: ele está aquém de ambos. Aquém dos economistas porque, como filósofo, tem na manga uma fórmula de pormenores puramente econômicos; aquém dos socialistas porque carece de coragem e lucidez necessárias para se elevar, ainda que especulativamente, acima do horizonte burguês.

Ele pretende ser a síntese, mas é um erro composto.

Pretende, como homem de ciência, pairar acima de burgueses e proletários, mas não passa do pequeno-burguês que oscila, constantemente, entre o capital e o trabalho, entre a economia política e o comunismo.

2
A divisão do trabalho
e as máquinas

A divisão do trabalho abre, de acordo com o Sr. Proudhon, a série das *evoluções econômicas*.

Lado bom da divisão do trabalho	"Considerada em sua essência, a divisão do trabalho é o modo pelo qual se realiza a igualdade das condições e das inteligências" (tomo I, p. 93). "A divisão do trabalho tornou-se para nós, um instrumento de miséria" (tomo I, p. 94).
Lado mau da divisão do trabalho	*variante* "O trabalho, dividindo-se segundo a lei que lhe é própria, e que é a condição primeira da sua fecundidade, chega à negação dos seus fins e se destrói a si mesmo" (tomo I, p. 94).
Problema a encontrar	"A recomposição que suprima os inconvenientes da divisão, conservando, simultaneamente, os seus efeitos úteis" (tomo I, p. 97).

A divisão do trabalho, de acordo com o Sr. Proudhon, é uma lei eterna, uma categoria simples e abstrata. Portanto, é também preciso que a abstração, a ideia, a palavra lhe bastem para explicar a divisão do trabalho nas diferentes épocas da história. As castas, as corporações, o regime manufatureiro, a grande indústria devem explicar-se por uma única palavra: *dividir*. Estudando-se bem, logo de início, o sentido de *dividir*, será desnecessário estudar as numerosas influências que conferem à divisão do trabalho, em cada época, um caráter determinado.

É claro que reduzir as coisas às categorias do Sr. Proudhon é torná-las demasiado simples. A história nunca procede tão categoricamente. Na Alemanha, foram necessários três séculos inteiros para estabelecer a primeira grande divisão do trabalho, a separação entre as cidades e os campos. Na medida em que essa única relação da cidade ao campo se modificava, modificava-se também a sociedade inteira. Mesmo tomando somente esse aspecto da divisão do trabalho, ter-se-á as repúblicas antigas ou a feudalidade cristã, a antiga Inglaterra, com seus barões, ou a Inglaterra moderna, com os seus senhores do algodão (*cotton lords*). Nos séculos XIV e XV, quando ainda não existiam colônias, quando a América não existia para a Europa, quando a Ásia existia apenas por intermédio de Constantinopla e quando o centro da atividade comercial era o Mediterrâneo, a divisão do trabalho tinha uma forma e um aspecto inteiramente diversos do século XVII, quando os espanhóis, portugueses, ingleses e franceses possuíam colônias estabelecidas em todas as partes do mundo. A extensão do mercado e sua fisionomia dão à divisão do trabalho, em épocas diferentes, uma fisionomia e um caráter dificilmente dedutíveis da simples palavra *dividir*, da ideia, da categoria.

> *Todos os economistas [afirma o Sr. Proudhon], desde A. Smith, assinalaram as vantagens e os inconvenientes da lei da divisão, mas insistindo muito mais sobre as primeiras que sobre os segundos, porque isso servia melhor ao seu otimismo, e sem que, jamais, alguns deles se perguntassem o que poderia ser os inconvenientes de uma lei... Como o mesmo princípio, levado rigorosamente às últimas consequências, conduz a efeitos diametralmente opostos? Nenhum economista, nem antes nem depois de A. Smith, percebeu sequer que existe aí um problema a esclarecer. Say chega ao ponto de reconhecer que, na divisão do trabalho, a mesma causa que produz o bem engendra o mau.*

Adam Smith viu bem mais longe do que imagina o Sr. Proudhon. Ele observou justamente que,

> *na realidade, a diferença dos talentos naturais entre indivíduos é bem menor do que se acredita. Estas disposições tão diferentes, que parecem distinguir os homens das diversas profissões quando chegam à maturidade, são menos a causa que o efeito da divisão do trabalho.*

No princípio, um carregador difere menos de um filósofo que um mastim de um galgo. A divisão do trabalho é que introduziu um abismo entre ambos. Mas isso não impede que o Sr. Proudhon afirme, em outra passagem, que Adam Smith sequer suspeitou dos inconvenientes produzidos pela divisão do trabalho. E isso, também, leva-o a dizer que J.-B. Say foi o primeiro a reconhecer

> *que na divisão, a mesma causa que produz o bem engendra o mau.*

Mas escutemos Lemontey: *Suum cuique*[73],

> *o Sr. J.-B. Say deu-me a honra de adotar, no seu excelente tratado de economia política, o princípio que anunciei neste fragmento sobre a influência moral da divisão do trabalho. O título um pouco frívolo do meu livro, sem dúvida, não lhe permitiu citar-me. Só a este motivo posso atribuir o silêncio de um escritor tão rico em pensamentos próprios para negar um empréstimo tão modesto*[74].

Façamos justiça aqui: Lemontey expôs, espirituosamente, as consequências dolorosas da divisão do trabalho, tal como ela se apresenta em nossos dias, e o Sr. Proudhon não encontrou o que agregar a tal exposição. Mas, visto que, por culpa do Sr. Proudhon, estamos envolvidos nessa questão de prioridade, digamos ainda, de passagem, que muito antes do Sr. Lemontey e 17 anos antes que Adam Smith, A. Ferguson (de quem Adam Smith fora aluno) expusera o problema com clareza, num capítulo que trata especialmente da divisão do trabalho.

> *Poder-se-ia duvidar que a capacidade geral de uma nação cresce proporcionalmente ao progresso das artes. Muitas artes mecânicas... triunfam perfeitamente quando prescindem totalmente do auxílio da razão e do sentimento; a ignorância é tanto a mãe da indústria quanto da superstição. A reflexão e a imaginação são passíveis de erros; mas o movimento habitual do pé ou da mão independe de ambas. Portanto, poder-se-ia afirmar que a perfeição, em relação às manufaturas, consiste na possibilidade de prescindir do espírito, de forma que, sem esforço intelectual, a oficina possa ser considerada como uma máquina cujas partes são os homens... O general*

> *pode ser muito hábil na arte da guerra,*
> *mas todo mérito do soldado limita-se à*
> *execução de alguns movimentos com o pé*
> *ou com a mão. Um pode ganhar o que*
> *o outro perde... Num período onde tudo*
> *está separado, a arte de pensar pode, ela*
> *mesma, constituir uma profissão à parte*[75].

Para terminar esta resenha literária, nós negamos formalmente que

> *todos os economistas tenham insistido*
> *mais sobre as vantagens que sobre os*
> *inconvenientes da divisão do trabalho.*

Basta citar Sismondi.

Assim, no que concerne às vantagens da divisão do trabalho, só restava ao Sr. Proudhon a paráfrase mais ou menos pomposa de expressões gerais que todo mundo conhecia.

Vejamos, agora, como ele deriva da divisão do trabalho tomada como lei geral, como categoria, como pensamento, os inconvenientes que lhe são próprios. Como essa lei, essa categoria, implica, em detrimento do sistema igualitário do Sr. Proudhon, uma repartição desigual do trabalho?

> *Nesta hora solene da divisão do trabalho,*
> *ventos tempestuosos começam a soprar sobre*
> *a humanidade. O progresso não se realiza*
> *igual e uniformemente para todos... É*
> *esta parcialidade do progresso em relação*
> *a determinadas pessoas que originou a*
> *crença, vigente durante tanto tempo, na*
> *desigualdade natural e providencial das*
> *condições, engendrou as castas e constituiu*
> *hierarquicamente todas as sociedades*[76].

A divisão do trabalho criou as castas. Ora, as castas são os inconvenientes da divisão do trabalho; logo, foi a divisão do trabalho que engendrou os inconvenientes. *Quod erat demonstrandun*[77].

Alguém pode querer ir mais longe, perguntando o que fez a divisão do trabalho criar as castas, os regimes hierárquicos e os privilegiados. O Sr. Proudhon responderá: o progresso. E o que engendrou o progresso? A limitação. Para o Sr. Proudhon, a limitação é a parcialidade do progresso em relação a determinadas pessoas.

Depois da filosofia, vem a história. Já não é a história descritiva nem a história dialética; trata-se da história comparada. O Sr. Proudhon estabelece um paralelo entre o operário impressor atual e o operário impressor medieval, entre o operário do Creusot e o ferreiro aldeão, entre o homem de letras contemporâneo e o da Idade Média, e faz a balança pender para o lado daqueles que representam, mais ou menos, a divisão do trabalho tal como a Idade Média a constituiu ou transmitiu. Ele opõe a divisão do trabalho de uma época histórica à de outra época histórica. Era isso o que o Sr. Proudhon tinha a demonstrar? Não. Deveria mostrar os inconvenientes da divisão do trabalho em geral, da divisão do trabalho como categoria. No entanto, por que insistir sobre essa parte da obra do Sr. Proudhon, se, mais adiante, vê-lo-emos retratar-se formalmente de todos esses pretensos desenvolvimentos?

> *O primeiro efeito do trabalho parcelar [continua o Sr. Proudhon], depois da depravação da alma, é o prolongamento das jornadas de trabalho que crescem na razão inversa da soma da inteligência dispendida... Mas como a duração das jornadas não pode exceder 16/18 horas, a partir do momento em que a compensação não se possa fazer sobre o tempo, far-se-á sobre o preço, e o salário cairá... O*

*que é certo, e única coisa que nos interessa
frisar, é que a consciência universal não
avalia igualmente o trabalho de um
contramestre e a atividade de um servente.
Portanto, é necessário reduzir o preço da
jornada, de forma que o trabalhador,
depois de ter a sua alma afetada por uma
função degradante, seja também afetado em
seu corpo pela penúria da recompensa.*

Deixaremos de lado o valor lógico desses silogismos, que Kant chamaria de paralogismos que manquitolam. Eis a sua substância:

A divisão do trabalho reduz o operário a uma função degradante; a esta corresponde uma alma depravada, a que convém uma redução sempre crescente do salário. E, para provar que essa redução do salário convém a uma alma depravada, o Sr. Proudhon, para alívio de consciência, diz que ela é requerida pela consciência universal. A alma do Sr. Proudhon estará incluída na consciência universal?

As *máquinas*, para o Sr. Proudhon, são a "antítese lógica da divisão do trabalho" e, graças à sua dialética, começa por transformá-las em *fábrica*.

Depois de supor a fábrica moderna, para derivar a miséria da divisão do trabalho, o Sr. Proudhon supõe a miséria engendrada pela divisão do trabalho para chegar à fábrica e para poder representá-la como negação dialética daquela miséria. Depois de atingir moralmente o trabalhador com uma *função degradante* e fisicamente com a penúria do salário, depois de colocar o operário na *dependência de um contramestre* e rebaixar o seu trabalho ao nível da *atividade de um servente*[78], ele recorre novamente à fábrica e às máquinas para *degradar* o trabalhador "dando-lhe um *patrão*", e conclui o seu envilecimento fazendo-o "decair da condição de artífice à de *servente*". Que bela dialética! Se, ao menos, parasse por aí... Mas não: ele precisa de uma nova história da divisão do trabalho, não mais para derivar dela as contradições, mas para reconstruir, à sua maneira, a fábrica. Para chegar a esse fim, necessita esquecer tudo quanto, pouco antes, dissera sobre a divisão.

O trabalho se organiza e se divide diferentemente conforme os instrumentos de que dispõe. O moinho manual supõe uma divisão distinta daquela requerida pelo moinho a vapor. Portanto, é chocar-se contra a história querer começar pela divisão do trabalho em geral para, depois, chegar a um instrumento específico de produção, as máquinas.

As máquinas, assim como o boi que puxa o arado, não são uma categoria econômica. Elas são apenas uma força produtiva. A fábrica moderna, fundada na utilização de máquinas, é uma relação social de produção, uma categoria econômica.

Agora, vejamos como as coisas se passam na brilhante imaginação do Sr. Proudhon.

> *Na sociedade, o aparecimento incessante das máquinas é a antítese, a fórmula inversa do trabalho: é o protesto do gênio industrial contra o trabalho parcelar e homicida. De fato, o que é uma máquina? Uma maneira de reunir diversas partículas de trabalho que a divisão separava. Toda máquina pode ser definida como um resumo de várias operações... Logo, pela máquina, haverá restauração do trabalhador... As máquinas, colocando-se na economia política em contradição com a divisão do trabalho, representam a síntese que, no espírito humano, opõe-se à análise... A divisão apenas separava as diversas partes do trabalho, permitindo a cada um dedicar-se*

171

> *à especialidade que mais lhe agradasse; a fábrica reúne os trabalhadores conforme a relação de cada parte ao todo... introduz o princípio de autoridade do trabalho... Mas não é tudo: a máquina ou a fábrica, depois de degradar o trabalhador dando-lhe um patrão, conclui o seu envilecimento fazendo-o decair da condição de artífice à de servente... O período que agora percorremos, o das máquinas, distingue-se por um caráter particular, o salariado. O salariado é posterior à divisão do trabalho e à troca.*

Uma simples observação ao Sr. Proudhon: a separação das diversas partes do trabalho, permitindo a cada um dedicar-se à especialidade que mais lhe agrada – separação que o Sr. Proudhon data do começo do mundo – só existe na indústria moderna sob o regime da concorrência.

Em seguida, o Sr. Proudhon nos apresenta uma "genealogia" extraordinariamente "interessante", para demonstrar como a fábrica nasceu da divisão do trabalho e salariado da fábrica.

1) Ele supõe um homem que

> *observou que, dividindo a produção em suas diversas partes e fazendo executar cada uma delas por um operário,*

multiplicou as forças da produção.

2) Este homem,

> *seguindo o fio daquela ideia, diz a si mesmo que, formando um grupo permanente de trabalhadores escolhidos para o objetivo especial que se propõe, obterá uma produção mais sustentada etc.*

3) Este homem faz uma proposta a outros homens, para que aceitem a sua ideia e sigam o fio dessa ideia.

4) Este homem, no início da indústria, trata *de igual para igual* os seus *companheiros*, que mais tarde se tornam seus *operários*.

5) Por isso,

> *é compreensível, com efeito, que essa igualdade primitiva deveria desaparecer rapidamente graças à posição vantajosa do patrão e à dependência do assalariado.*

Essa é outra amostra do método histórico e descritivo do Sr. Proudhon.

Examinemos, agora, a partir do ponto de vista histórico e econômico, se, na verdade, a fábrica ou a máquina introduziram o princípio de autoridade na sociedade, posteriormente à divisão do trabalho; se isso, de um lado, reabilitou o operário, submetendo--o, de outro, à autoridade; se a máquina é a recomposição do trabalho dividido, a síntese do trabalho oposta à sua análise.

A sociedade inteira tem em comum com o interior de uma fábrica o fato de possuir também sua divisão de trabalho. Caso se tomasse como modelo a divisão do trabalho numa fábrica moderna para aplicá-lo a uma sociedade, a sociedade melhor organizada para a produção de riquezas seria, incontestavelmente, aquela que só tivesse um empresário-chefe, distribuindo entre os membros da comunidade tarefas previamente determinadas. Mas não é isso que se verifica. Enquanto, no interior da fábrica moderna, a divisão do trabalho é minuciosamente regulada pela autoridade do empresário, a sociedade moderna, para distribuir o trabalho, não tem outra regra ou autoridade que a da livre concorrência.

Sob o regime patriarcal, sob o regime de castas, sob o regime feudal e corporativo, havia divisão do trabalho na sociedade inteira segundo regras fixas. Tais regras eram estabelecidas por um legislador? Não. Nascidas primitivamente das condições de produção material, elas só foram redigidas em leis muito mais tarde. Foi assim que essas diversas formas da divisão do trabalho tornaram-se as bases de diversas organizações sociais. Quanto à divisão do trabalho na oficina, ela era muito pouco desenvolvida em todas essas formas de sociedade.

Pode-se mesmo estabelecer como regra geral que, quanto menos autoridade preside à divisão de trabalho no interior da sociedade, mais a divisão do trabalho se desenvolve no interior da oficina e mais ela está aí submetida à autoridade de uma só pessoa. Portanto, em relação à divisão do trabalho, a autoridade na oficina e a autoridade na sociedade estão em razão inversa uma da outra.

Convém observar, agora, o que é a fábrica, na qual as ocupações estão separadas, onde a tarefa de cada trabalhador se reduz a uma operação muito simples, e onde a autoridade, o capital, reúne e dirige os trabalhos. Como nasceu essa fábrica? Para responder a essa pergunta, teríamos que examinar como a indústria manufatureira propriamente dita se desenvolveu. Quero referir-me a tal indústria que ainda não é moderna com as suas máquinas, mas que também não é mais a indústria dos artesãos da Idade Média, nem a indústria doméstica. Não entraremos em pormenores: exporemos alguns pontos sumários para mostrar que não é possível fazer a história com fórmulas.

Uma condição das mais indispensáveis para a formação da indústria manufatureira era a acumulação de capitais, facilitada pela descoberta da América e pela introdução de seus metais preciosos.

Está suficientemente provado que o aumento dos meios de troca teve por consequência, de um lado, a depreciação dos salários e das rendas fundiárias e, de outro, o crescimento dos lucros industriais. Em outros termos: enquanto a classe dos proprietários e a classe dos trabalhadores, os senhores feudais e o povo decaíam, ascendia a classe dos capitalistas, a burguesia.

Outras circunstâncias concorreram, simultaneamente, para o desenvolvimento da indústria manufatureira: o acréscimo de mercadorias postas em circulação desde que o comércio penetra nas Índias Orientais pela via do Cabo da Boa Esperança, o regime colonial, o desenvolvimento do comércio marítimo.

Um outro ponto que ainda não foi devidamente apreciado na história da indústria manufatureira foi a liberação de numerosos séquitos dos senhores feudais, cujos membros subalternos se tornaram vagabundos antes de entrar nas fábricas. A criação da fábrica foi precedida, nos séculos XV e XVI, por uma vagabundagem quase universal. A fábrica encontrou, ainda, um forte apoio entre os numerosos camponeses que, expulsos continuamente dos campos pela sua transformação em pastagens e pelos progressos agrícolas que requeriam menos braços para a cultura das terras, afluíram às cidades durante séculos inteiros.

A ampliação do mercado, a acumulação de capitais, as modificações verificadas na posição social das classes, uma multidão de pessoas privadas das suas fontes de renda – eis as várias condições históricas para a formação da manufatura. Não foram, como diz o Sr. Proudhon, negociações amistosas entre iguais que reuniram os homens na fábrica. A manufatura não nasceu sequer no seio das antigas corporações. Foi o comerciante quem se tornou o chefe da oficina moderna, não o antigo mestre das corporações. Em quase todos os lugares, houve uma luta encarniçada entre a manufatura e os ofícios artesãos.

A acumulação e a concentração de instrumentos e de trabalhadores precedeu o desenvolvimento da divisão do trabalho no interior da oficina. Uma manufatura consistia muito mais na reunião de vários trabalhadores e ofícios num único local, numa instalação às ordens de um capital, do que na fragmentação dos trabalhos e na adaptação de um operário especial a uma tarefa bem simples.

A utilidade de uma oficina consistia menos na divisão do trabalho do que no fato de se executar o trabalho em uma escala maior, reduzindo-se os custos inúteis etc. No final do século XVI e início do século XVII, a manufatura holandesa conhecia pouco a divisão do trabalho.

O desenvolvimento da divisão do trabalho supõe a reunião dos trabalhadores em uma oficina. Não há um único exemplo, tanto no século XVI quanto no século XVII, de que os diversos ramos de um mesmo ofício tenham sido tão explorados separadamente a ponto de ser suficiente reuni-los num só local para se obter uma oficina completa. No entanto, reunidos os homens e os instrumentos, a divisão do trabalho, tal como existia sob a forma das corporações, reproduzia-se e se refletia no interior das oficinas.

Para o Sr. Proudhon, que vê as coisas ao inverso – quando as vê –, a divisão do trabalho, tal como a entende Adam Smith, precede a fábrica, que é uma condição da sua existência.

As *máquinas* propriamente ditas datam do fim do século XVIII. Nada é mais absurdo do que ver nelas a *antítese* da divisão do trabalho, a *síntese* que restabelece a unidade no trabalho fragmentado.

A máquina é uma reunião de instrumentos de trabalho, e nunca uma combinação de trabalhos para o próprio operário.

> *Quando, pela divisão do trabalho, cada operação particular é reduzida ao emprego de um instrumento simples, a reunião de todos esses instrumentos, acionados por um único motor, constitui uma máquina[79].*

Instrumentos simples, acumulação de instrumentos, instrumentos complexos, acionamento de um instrumento composto por um único motor manual: o homem, acionamento desses instrumentos pelas forças naturais, máquina, sistema de máquinas com um só motor, sistema de máquinas com um motor automático – eis o caminho percorrido pelas máquinas.

A concentração dos instrumentos de produção e a divisão do trabalho são tão inseparáveis uma da outra quanto, no regime político, são-no a concentração dos poderes públicos e a divisão dos interesses privados. Na Inglaterra, com a concentração de terras e esses instrumentos do trabalho agrícola, há também a divisão do trabalho agrícola e a mecânica aplicada à exploração da terra. Na França, onde há dispersão dos instrumentos agrícolas com o regime parcelar, não existe, em geral, nem divisão do trabalho nem aplicação das máquinas à terra.

Para o Sr. Proudhon, a concentração dos instrumentos de trabalho é a negação da divisão do trabalho. Na realidade, verificamos o oposto.

Na medida em que se desenvolve a concentração dos instrumentos, desenvolve-se também a divisão e vice-versa. É isso o que faz com que toda grande invenção na mecânica seja seguida de uma maior divisão do trabalho e que cada acréscimo na divisão do trabalho, por sua vez, conduza a novas invenções mecânicas.

Não temos necessidade de lembrar que os grandes progressos da divisão do trabalho começam na Inglaterra após a invenção das máquinas. Assim, os tecelões e os fiandeiros eram, em sua maioria, camponeses, como ainda o são nos países atrasados. A invenção das máquinas acabou por separar a indústria manufatureira da indústria agrícola. O tecelão e o fiandeiro, outrora reunidos numa só família, foram separados pela máquina. Graças a esta, o fiandeiro pode morar na Inglaterra enquanto o tecelão vive nas Índias Orientais. Antes da invenção das máquinas, a indústria de um país operava principalmente com as matérias-primas nele produzidas: a lã, na Inglaterra; o linho, na Alemanha; as sedas e o linho, na França; o algodão, nas Índias e no Levante etc. Com as máquinas e o vapor, a divisão do trabalho adquiriu dimensões tais que a grande indústria, desvinculada do solo nacional, depende apenas do mercado universal, das trocas internacionais, de uma divisão do trabalho internacional. Enfim, a máquina exerce uma tal influência sobre a divisão do trabalho que, no fabrico de qualquer coisa, caso se consiga introduzir parcialmente a mecânica, a fabricação divide-se logo em duas explorações independentes entre si.

É necessário falar do *objetivo providencial* e filantrópico que o Sr. Proudhon descobriu na invenção e na aplicação primitiva das máquinas?

Quando, na Inglaterra, o mercado alcançou um desenvolvimento tal que o trabalho manual já não lhe era suficiente, experimentou-se a necessidade das máquinas. Começou-se, então, a pensar na aplicação da ciência mecânica já no século XVIII.

A fábrica automatizada assinala o seu aparecimento com atos que são tudo, exceto filantrópicos. As crianças foram mantidas no trabalho a golpes de chicote; tornaram-se objeto de tráfico e fizeram-se contatos com orfanatos. Aboliram-se todas as leis sobre aprendizagem dos operários porque, para nos servimos das frases do Sr. Proudhon, já não eram necessários operários *sintéticos*. Enfim, desde 1825, quase todas as novas invenções resultaram das colisões entre o operário e o patrão, que, a qualquer preço, procurava depreciar a especialidade do operário. Depois de cada nova greve de alguma importância, surgia uma nova máquina. O operário via tão pouco no emprego de máquinas uma espécie de reabilitação, de *restauração* – como diz o Sr. Proudhon – que, durante muito tempo, no século XVIII, resistiu ao nascente império do automatismo.

> *Wyatt – diz o doutor Ure – descobrira "os dedos de fiar"[a série de rolos canelados] muito antes de Arkwright... A principal dificuldade não consistia tanto na invenção de um mecanismo automático... Consistia, sobretudo, na disciplina necessária para fazer os homens renunciarem aos seus hábitos irregulares no trabalho e para identificá-los com a regularidade invariável de um grande autômato. A invenção e a imposição de um código de disciplina manufatureira, conveniente às exigências e à celeridade do sistema automático – eis um empreendimento digno de Hércules, eis a notável obra de Arkwright.*

Em suma: com a introdução das máquinas, a divisão do trabalho no interior da sociedade cresceu, a tarefa do operário no interior da oficina foi simplificada, o capital foi concentrado, o homem foi dividido ainda mais.

Quando o Sr. Proudhon pretende ser economista e abandona, por um instante, "a evolução na série do entendimento", busca sua erudição em Adam Smith, ao tempo em que a fábrica mal nascia. De fato, há uma enorme diferença entre a divisão do trabalho do tempo de Adam Smith e a que constatamos na oficina automatizada. Para torná-la bem compreensível, basta citar algumas passagens da *Filosofia das manufaturas*, do doutor Ure:

> *Quando A. Smith escreveu a sua obra imortal sobre os elementos da economia política, o sistema automático da indústria era quase desconhecido. A divisão do trabalho, com razão, aparece-lhe como grande princípio do aperfeiçoamento manufatureiro; ele demonstrou, no caso de uma fábrica de alfinetes, que um operário, aperfeiçoando-se pela prática em um só e mesmo ponto, torna-se mais expedito e menos oneroso. Em cada ramo da manufatura observou que, segundo esse princípio, algumas operações, como o corte dos fios de latão em comprimentos iguais, tornam-se de fácil execução e que outras, como o fabrico e a fixação das cabeças dos alfinetes, são relativamente mais difíceis – assim, ele concluiu que se pode, naturalmente, adequar a cada uma dessas operações um operário, cujo salário corresponde à sua habilidade. Essa apropriação é que é a essência da divisão dos trabalhos. No entanto, o que no tempo do Doutor Smith podia servir*

*como exemplo útil, atualmente só induziria
o público, em relação ao princípio real
da indústria manufatureira, ao erro.
De fato, a distribuição, ou sobretudo, a
adaptação dos trabalhadores às diferentes
capacidades individuais quase não entra
no plano de operação das manufaturas
automatizadas: ao contrário, sempre que um
procedimento qualquer exige muita destreza
ou mão segura, retiram-no do braço do
operário hábil e frequentemente inclinado a
irregularidades de vários tipos, entregando-o
a um mecanismo particular, cuja operação
automática é tão bem regulada que uma
criança pode controlá-lo.
O princípio do sistema automático,
portanto, consiste na substituição da
mão de obra pela arte mecânica e na
substituição da divisão do trabalho entre os
operários pela análise de um procedimento
em seus princípios constituintes. No
sistema de operação manual, a mão de obra
era, normalmente, o elemento mais oneroso
de um produto qualquer; mas, no sistema
automático, os talentos do artesão são
progressivamente substituídos por simples
controladores de mecânica.
A fraqueza da natureza humana é tal
que, quanto mais hábil o operário, mais
ele se torna voluntarioso e intratável e,
consequentemente, menos apropriado a um
sistema de mecânica a cujo conjunto suas
saídas caprichosas podem causar um dano
considerável. Por isso, o grande problema
do manufatureiro atual é, combinando
a ciência com os seus capitais, reduzir a
tarefa dos seus operários à observação e
à destreza, faculdades que se aperfeiçoam
na juventude quando concentradas num
único objeto.
De acordo com o sistema de
gradações do trabalho, é necessário*

181

um aprendizado de muitos anos antes que o olho e a mão se tornem suficientemente hábeis para executar algumas operações mecânicas dificílimas; mas, no sistema que decompõe um procedimento, pela redução a seus princípios constitutivos, e que submete todas as suas partes à operação de uma máquina automática, é possível confiar essas partes elementares a uma pessoa dotada de capacidades comuns, depois de passar por uma breve prova; e é mesmo possível, em caso de urgência, transferi-la de uma máquina à outra, segundo a vontade do diretor do estabelecimento. Essas transformações opõem-se abertamente à velha rotina, que divide o trabalho e assinala a um operário a tarefa de fazer a cabeça do alfinete e a outro a afinar-lhe a ponta, trabalho cuja uniformidade irritante os enerva... Todavia, sob o princípio da equalização ou o sistema automático, as faculdades do operário submetem-se apenas a um exercício agradável etc... Já que ele as emprega para controlar o trabalho de um mecanismo bem regulado, pode aprender em pouco tempo; e quando transfere seus serviços de uma máquina à outra, varia sua tarefa e desenvolve suas ideias, refletindo nas combinações gerais que resultam das suas tarefas e das de seus companheiros. Assim, essa limitação das faculdades, essa atrofia das ideias, esse mal-estar do corpo, que, com razão, foram atribuídos à divisão do trabalho, não podem, em condições normais, existir sob o regime de uma distribuição igual das tarefas. O objetivo constante e a tendência de todo aperfeiçoamento no mecanismo são, realmente, os de prescindir inteiramente do trabalho do homem ou de reduzir-lhe o preço,

> *substituindo a atividade do operário adulto pela de mulheres e crianças ou as tarefas de hábeis artesãos pelas de operários sem destreza... Essa tendência a só empregar crianças de olhar vivo e dedos ágeis, em lugar de diaristas com longa experiência, demonstra que o dogma escolástico da divisão do trabalho segundo os diferentes graus de habilidade foi, finalmente, rejeitado pelos nossos manufatureiros esclarecidos[80].*

O que caracteriza a divisão do trabalho no interior da sociedade moderna é o fato dela engendrar as especialidades, as especializações e, com elas, o idiotismo do ofício.

> *Ficamos admirados [diz Lemontey] quando vemos, entre os antigos, que o mesmo personagem era, simultaneamente e em grau notável, filósofo, poeta, orador, historiador, padre, administrador, general. Nossas almas se espantam diante de um domínio tão vasto. Cada um planta os seus arbustos e se fecha em seu cercado. Não sei se, com essa separação, o campo se amplia, mas sei muito bem que o homem se amesquinha.*

O que caracteriza a divisão do trabalho na fábrica é o fato de o trabalho perder todo o seu caráter de especialidade. Mas, a partir do momento em que cessa todo desenvolvimento especial, a necessidade de universalidade, a tendência a um desenvolvimento integral do indivíduo começa a se fazer sentir. A fábrica liquida as especializações e o idiotismo do ofício.

O Sr. Proudhon, sem ter compreendido sequer este único aspecto revolucionário da fábrica, retrocede e propõe ao operário fazer não apenas a duodécima parte de um alfinete, mas, sucessivamente, as doze partes. O operário chegaria, assim, à ciência e à consciência do alfinete. É isso o trabalho sintético do Sr. Proudhon. Ninguém contestará que fazer um movimento para frente e outro para trás é, igualmente, fazer um movimento sintético.

Em resumo, o Sr. Proudhon não superou o ideal do pequeno-burguês. E, para realizar esse ideal, ele não imagina nada melhor do que nos fazer voltar ao companheiro ou, quando muito, ao mestre artesão da Idade Média. Basta, diz ele numa passagem qualquer do seu livro, ter feito uma só vez na vida uma obra-prima, ter-se sentido homem uma só vez. Não é esta, tanto na forma quanto no fundo, a obra-prima exigida pela corporação do ofício medieval?

3
A concorrência e o monopólio

Lado bom da concorrência	"A concorrência é tão essencial ao trabalho quanto a divisão... Ela é necessária *ao advento da igualdade*."
Lado mau da concorrência	"O princípio é a negação de si mesmo. O seu efeito mais certo é o de perder aqueles que envolve."
Reflexão geral	"Os *inconvenientes* que a sucedem, tanto como o bem que proporciona... decorrem uns e outros, logicamente, do princípio."
Problema a resolver	"Procurar o princípio de *acomodação* que deve resolver derivar de uma lei superior à própria liberdade." *variante* "Portanto, aqui não caberia a questão de destruir a concorrência, coisa tão impossível quanto destruir a liberdade; trata-se de encontrar o equilíbrio – eu diria, de bom grado: a polícia."

O Sr. Proudhon começa por defender a necessidade eterna da concorrência contra aqueles que a querem substituir pela *emulação*. Não há "emulação sem objetivo" e como

> *o objeto de toda paixão é necessariamente análogo à própria paixão: uma mulher para o amante, poder para o ambicioso, ouro para o avaro, uma coroa para o poeta –, o objeto da emulação industrial é necessariamente o lucro. A emulação não é outra coisa que a própria concorrência.*

A concorrência é a emulação visando o lucro. A emulação industrial é necessariamente a emulação visando o lucro, isto é, a concorrência? O Sr. Proudhon prova-o afirmando-o. Já o vimos: para ele, afirmar é provar, tal como supor é negar.

Se o *objeto* imediato do amante é a mulher, o objeto imediato da emulação não é o lucro, é o produto.

A concorrência não é a emulação industrial, é a emulação comercial. Atualmente, a emulação industrial só existe em função do comércio. Há mesmo fases na vida econômica dos povos modernos em que todas as pessoas parecem tomadas por uma espécie de vertigem para obter lucro sem produzir. Essa vertigem de especulação, que retorna periodicamente, desnuda o verdadeiro caráter da concorrência, que procura escapar à necessidade da emulação industrial.

Caso se dissesse a um artesão do século XIV que iriam abolir os privilégios e toda a organização feudal da indústria, substituindo-os pela emulação industrial, chamada concorrência, ele replicaria que os privilégios das diversas corporações, confrarias e grêmios são a concorrência organizada. O Sr. Proudhon não diz coisa melhor, afirmando que

*a emulação não é outra coisa que a
própria concorrência (tomo I, p. 211).*

*Ordene-se que, a partir de 1º de janeiro
de 1847, o trabalho e o salário sejam
garantidos a todo mundo: logo um enorme
relaxamento sucederá à ardente tensão da
indústria (tomo I, p. 212).*

Em lugar de uma suposição, de uma afirmação
e de uma negação, temos agora uma ordem que o
Sr. Proudhon dita expressamente para provar a necessidade da concorrência, a sua eternidade como
categoria etc.

Caso se imagine que bastam ordens para escapar à concorrência, jamais se sairá dela. E caso se
levem as coisas ao ponto de propor a abolição da
concorrência conservando-se o salário, o que se propõe é um contrassenso por decreto real. Mas os povos não atuam em função de decretos reais. Antes de
recorrer a ordens desse gênero, eles devem, no mínimo, alterar de alto a baixo as condições de existência
industrial e política e, consequentemente, toda a sua
maneira de ser.

O Sr. Proudhon, com a sua imperturbável se-
gurança, responderá que essa é a hipótese "de uma
transformação da nossa natureza sem precedentes
históricos" e que teria o direito "de nos desviar da
discussão", em virtude de um decreto que não sabemos qual seja.

O Sr. Proudhon ignora que toda a história não
é mais que uma transformação contínua da natureza humana.

*Permaneçamos nos fatos. A Revolução
Francesa fez-se tanto pela liberdade
industrial como pela política; e
embora a França, em 1789, não*

tenha percebido todas as consequências do princípio cuja realização exigia, digamo-lo em voz alta, ela não se enganou, nem nos seus desejos, nem na sua esperança. Quem o negasse perderia, no meu entender, o direito à crítica: eu não discutiria jamais com um adversário que colocasse como princípio o erro espontâneo de vinte e cinco milhões de homens... Se a concorrência não era um princípio da economia social, um decreto do destino, uma necessidade da alma humana, por que, ao invés de abolir corporações, confrarias e grêmios, não se preferiu antes corrigir o todo?

Assim, visto que os franceses do século XVIII aboliram corporações, confrarias e grêmios em vez de modificá-los, os franceses do século XIX devem modificar a concorrência, em vez de aboli-la. Uma vez que a concorrência se estabeleceu na França, no século XVIII, como consequência de necessidades históricas, ela não deve ser destruída no século XIX, em função de outras necessidades históricas. Sem compreender que o estabelecimento da concorrência se ligava ao desenvolvimento real dos homens do século XVIII, o Sr. Proudhon faz dela uma necessidade da *alma humana, in partibus infidelium*[81]. O que ele não faria do grande Colbert, no século XVII?

Após a Revolução, surge o estado de coisas atual. O Sr. Proudhon, também aqui, aduz fatos para mostrar a eternidade da concorrência, provando que todas as indústrias nas quais esta categoria ainda não se desenvolveu bastante, como na agricultura, estão numa condição inferior, de decadência.

Dizer que há indústrias que ainda não chegaram à concorrência e que outras permanecem ainda abaixo do nível da produção burguesa não passa de disparates que, em absoluto, provam a eternidade da concorrência.

Toda a lógica do Sr. Proudhon se resume nisto: a concorrência é uma relação social no interior da qual desenvolvemos atualmente as nossas forças produtivas. Dessa verdade, ele não oferece desdobramentos lógicos, mas fórmulas frequentemente bem desenvolvidas, dizendo que a concorrência é a emulação industrial, o modo atual de ser livre, a responsabilidade no trabalho, a constituição do valor, uma condição para o advento da igualdade, um princípio de economia social, uma necessidade da alma humana, uma inspiração da justiça eterna, a liberdade na divisão, a divisão na liberdade, uma categoria econômica.

> *A concorrência e a associação apoiam-se uma sobre a outra. Longe de se excluírem, não são nem mesmo divergentes. Quem diz concorrência, já supõe um objetivo comum. A concorrência, pois, não é o egoísmo, e o erro mais deplorável do socialismo consiste em tê-la considerado como a destruição da sociedade.*

Quem diz concorrência, diz objetivo comum e isso prova, de um lado, que a concorrência é a associação e, de outro lado, que ela não é o egoísmo. E quem diz *egoísmo*, não diz objetivo comum? Todo egoísmo se exerce na sociedade e graças à sua existência. O egoísmo supõe, portanto, a sociedade, ou seja: objetivos comuns, meios de produção comuns etc. Por isso, seria casual que a concorrência e a associação de que falam os socialistas não sejam sequer divergentes?

Os socialistas sabem muito bem que a sociedade atual se funda na concorrência. Como poderiam acusar a concorrência de destruir a sociedade atual, que eles mesmos querem destruir? E como poderiam acusar a concorrência de destruir a sociedade futura, na qual, ao contrário, eles veem a destruição da concorrência?

O Sr. Proudhon diz, mais adiante, que a concorrência é o *oposto do monopólio* e que, consequentemente, ela não poderia ser o *oposto da associação*.

O feudalismo era, desde a sua origem, oposto à monarquia patriarcal; assim, não se opunha à concorrência, ainda inexistente. Segue-se daí que a concorrência não se oponha ao feudalismo?

De fato, *sociedade*, *associação* são denominações que se pode dar a todas as sociedades, à sociedade feudal como à sociedade burguesa, que é a associação fundada na concorrência. Como, portanto, podem existir socialistas que, apenas com a palavra *associação*, acreditem ser possível refutar a concorrência? E como o próprio Sr. Proudhon pode pretender defender a concorrência contra o socialismo, designando-a pela simples passagem *associação*?

Tudo o que acabamos de dizer constitui o lado bom da concorrência, tal como compreende o Sr. Proudhon. Passemos agora ao lado vilão, isto é, ao lado negativo da concorrência, ao que ela possui de destrutivo, subversivo, de qualidades perniciosas.

O quadro que o Sr. Proudhon nos apresenta tem qualquer coisa de lúgubre.

A concorrência engendra a miséria, fomenta a guerra civil, "altera as regiões naturais", confunde as nacionalidades, perturba as famílias, corrompe a consciência pública, "desorganiza as noções da equidade, da justiça", da moral e, o que é pior, destrói o comércio probo e livre e, em compensação, não oferece sequer o valor sintético, o preço fixo e honesto. Ela decepciona a todos, inclusive aos economistas. Ela leva as coisas ao ponto de sua autodestruição.

Depois de todo o seu mal, que o Sr. Proudhon aponta, poderá existir, para as relações da sociedade burguesa, seus princípios e suas ilusões, um elemento mais dissolvente, mais destrutivo que a concorrência?

Observemos que a concorrência torna-se progressivamente mais destrutiva para as relações burguesas na medida em que estimula uma criação febril de novas forças produtivas, isto é, das condições materiais de uma sociedade nova. Sob esse aspecto, pelo menos, o lado mau da concorrência possuiria algo de bom.

> *A concorrência, como posição ou fase econômica considerada em sua origem, é o resultado necessário... da teoria da redução dos custos gerais.*

Para o Sr. Proudhon, a circulação do sangue deve ser uma consequência da teoria de Harvey.

> *O monopólio é o termo fatal da concorrência, que o engendra por uma negação incessante de si mesma. Esta geração do monopólio é já a sua justificação... O monopólio é o oposto natural da concorrência... mas, desde que a concorrência é necessária, ela implica a ideia do monopólio, uma vez que este é como a cadeira de cada individualidade concorrente.*

Alegramo-nos com o fato de o Sr. Proudhon poder aplicar bem, pelo menos uma vez, a sua fórmula de tese e antítese. Todo mundo sabe que o monopólio moderno é engendrado pela própria concorrência.

Quanto ao conteúdo, o Sr. Proudhon prende-se a imagens poéticas. A concorrência fazia

> *de cada subdivisão do trabalho como que uma soberania, onde cada indivíduo se colocava em sua força e sua independência.*

O monopólio é como que a "cadeira de cada individualidade concorrente". A soberania vale tanto quanto a cadeira.

O Sr. Proudhon fala apenas do moderno monopólio engendrado pela concorrência. Mas todos sabemos que a concorrência foi engendrada pelo monopólio feudal. Assim, primitivamente, a concorrência foi o contrário do monopólio, e não o monopólio o contrário da concorrência. Portanto, o monopólio moderno não é uma simples antítese; é, inversamente, a verdadeira síntese.

Tese: o monopólio feudal anterior à concorrência.

Antítese: A concorrência.

Síntese: O monopólio moderno, que é a negação do monopólio feudal enquanto supõe o regime de concorrência, e que é a negação da concorrência enquanto é monopólio.

Assim, o monopólio moderno, o monopólio burguês, é o monopólio sintético, a negação da negação, a unidade dos contrários. É o monopólio em estado puro, normal, racional. O Sr. Proudhon contradiz sua própria filosofia quando faz do monopólio burguês o monopólio em estado bruto, simplista, contraditório, espasmódico. O Sr. Rossi, que o Sr. Proudhon cita várias vezes a propósito do monopólio, parece ter apreendido melhor o caráter sintético do monopólio burguês. Em seu *Curso de economia política*, ele distingue monopólios artificiais e monopólios naturais. Os monopólios feudais, diz, são artificiais, isto é, arbitrários: os monopólios burgueses são naturais, isto é, racionais.

O monopólio é uma coisa boa, raciocina o Sr. Proudhon, porque é uma categoria econômica, uma emanação "da razão impessoal da humanidade". A concorrência também é uma boa coisa, visto que, também ela, é uma categoria econômica. O que não bom, contudo, é a realidade do monopólio e a realidade da concorrência. E o que é pior: a concorrência e o monopólio se devoram mutuamente. O que fazer? Procurar a síntese desses dois pensamentos eternos, arrancá-la ao seio de Deus onde ela se encontra desde tempos imemoriais.

Na vida prática, encontra-se não apenas a concorrência, o monopólio e seu antagonismo, mas também a sua síntese, que não é uma fórmula, e sim o movimento. O monopólio produz a concorrência, a concorrência produz o monopólio. Os monopolistas concorrem entre si, os concorrentes tornam-se monopolistas. Se os monopolistas restringem a concorrência entre si através de associações parciais, a concorrência cresce entre os operários; e quanto mais a massa de proletários cresce face aos monopolistas de uma nação, mais a concorrência entre monopolistas de nações diferentes se torna desenfreada. A síntese é tal que o monopólio só pode se manter passando continuamente pela luta da concorrência.

Para engendrar dialeticamente os *impostos*, que vêm depois do monopólio, o Sr. Proudhon nos fala do *gênio social* que, após seguir *intrepidamente o seu caminho em zigue-zague,*

> *após marchar com passo seguro, sem se arrepender e sem se deter, chega ao ângulo do monopólio, olha melancolicamente para trás*

> *e, depois de uma reflexão profunda,*
> *sobrecarrega com impostos todos os objetos*
> *de produção e cria toda uma organização*
> *administrativa, a fim de que todos os*
> *empregos sejam concedidos ao proletariado*
> *e pagos pelos homens do monopólio.*

O que dizer desse gênio que, em jejum, passeia em zigue-zague? E o que dizer desse passeio, que não teria outro objetivo que o de demolir os burgueses através dos impostos, quando estes servem precisamente para dar aos burgueses os meios para se conservarem como classe dominante?

Unicamente para entrever o modo pelo qual o Sr. Proudhon trata os detalhes econômicos, bastará dizer que, de acordo com ele, o *imposto sobre o consumo* teria sido estabelecido visando à igualdade e para auxiliar o proletariado.

O imposto sobre o consumo só se desenvolveu verdadeiramente após o advento da burguesia. Nas mãos do capital industrial – ou seja, da riqueza sóbria e econômica que se mantém, reproduz e cresce pela exploração direta do trabalho –, o imposto sobre o consumo era um meio de explorar a riqueza frívola, alegre, pródiga, dos grandes senhores, que apenas consumiam. Jacques Steuart expôs muito bem esse objetivo primitivo do imposto sobre o consumo em sua obra *Investigações sobre os princípios da economia política*, publicada dez anos antes de Adam Smith.

> *Na monarquia pura, os príncipes parecem*
> *de algum modo invejosos do crescimento*
> *das riquezas e, por isso, lançam impostos*
> *sobre aqueles que enriquecem – impostos sobre*
> *a produção. No regime constitucional,*
> *os impostos recaem principalmente sobre*
> *aqueles que se tornam pobres – impostos*
> *sobre o consumo. Assim, os monarcas*

lançam um imposto sobre a indústria...
Por exemplo, a capitação e a derrama
são proporcionais à suposta opulência
daqueles que estão sujeitos a elas. A cada
um se impõe o tributo em função do lucro
que se supõe que aufira. Nos governos
constitucionais, os impostos incidem
normalmente sobre o consumo. A cada um
se impõe o tributo em função da despesa
que realiza.

Quanto à *sucessão lógica* dos impostos, da balança comercial, do crédito – segundo o entendimento do Sr. Proudhon –, observaremos apenas que a burguesia inglesa, que chegou à sua constituição política com Guilherme de Orange, criou imediatamente um novo sistema de impostos, o crédito público e o sistema de direitos protecionistas, logo que pôde desenvolver livremente as suas condições de existência.

Esse rápido apanhado bastará para dar ao leitor uma justa ideia das elucubrações do Sr. Proudhon sobre a política ou o imposto, a balança comercial, o crédito, o comunismo e a população. Desafiamos a crítica mais indulgente a abordar com seriedade esses capítulos.

4
A propriedade ou a renda

Em cada época histórica, a propriedade desenvolveu-se diferentemente e numa série de relações sociais totalmente distintas. Por isso, definir a propriedade burguesa não é mais que expor todas as relações sociais da produção burguesa.

Pretender dar uma definição da propriedade como uma relação independente, uma categoria à parte, uma ideia abstrata e universal – isso não pode ser mais que uma ilusão metafísica ou de jurisprudência.

O Sr. Proudhon, com ares de quem fala da propriedade em geral, trata apenas da propriedade fundiária, da renda fundiária.

> *A origem da renda, como da propriedade, é, por assim dizer, extraeconômica: reside em considerações de psicologia e de moral, que só remotamente se relacionam com a produção de riquezas*[82].

Assim, o Sr. Proudhon se reconhece incapaz para compreender a origem econômica da renda e da propriedade. Admite que essa incapacidade obriga-o a recorrer a considerações psicológicas e morais que, de fato, remotamente relacionadas à produção de riquezas, vinculam-se, no entanto, muito intimamente à estreiteza da sua visão histórica. O Sr. Proudhon afirma que a origem da propriedade possui algo de místico e misterioso. Ora, ver mistério na origem da propriedade, ou seja, transformar em mistério a relação da própria produção com a distribuição dos instrumentos de produção, não é – para falar a linguagem do Sr. Proudhon – renunciar a qualquer pretensão à ciência econômica? O Sr. Proudhon

> *se limita a recordar que, na sétima época da evolução econômica – o crédito –, tendo a ficção esvanecido a realidade e a atividade humana ameaçada de cair no vazio, tornara-se necessário ligar mais fortemente o homem à natureza: ora, a renda foi o preço desse novo contrato[83].*

O homem dos quarenta escudos pressentiu um futuro Proudhon:

> *Senhor criador, faça o que bem lhe parecer: cada qual é senhor no seu mundo, mas nunca me fará acreditar que este em que estamos seja de vidro.*

No seu mundo, onde o crédito era um meio para se perder no vazio, é bem possível que a propriedade tenha se tornado necessária para ligar o homem à natureza. No mundo da produção real, onde a propriedade fundiária sempre precede o crédito, o *horror vacui*[84] do Sr. Proudhon não poderia existir.

Uma vez admitida a existência da renda, qualquer que seja, aliás, a sua origem, ela se disputa contraditoriamente entre o arrendatário e o proprietário fundiário. Qual o último termo dessa disputa, ou, noutras palavras, qual a taxa média da renda? Eis o que diz o Sr. Proudhon:

A teoria de Ricardo responde a esta questão. No início da sociedade, quando o homem, novo sobre a terra, defrontava-se apenas com a imensidão das florestas, com a vastidão das terras e a indústria nascente, a renda tinha que ser nula. A terra, ainda não cultivada pelo trabalho, era um objeto de utilidade, e não um valor de troca; era comum, e não social. Pouco a pouco, a multiplicação das famílias e o progresso da agricultura revelaram o preço da terra. O trabalho veio dar ao solo o seu valor – daí nasceu a renda. Além disso, com a mesma quantidade de serviços, quanto mais um campo podia dar frutos, mais ele era valorizado; assim, a tendência dos proprietários foi sempre de atribuir à totalidade dos frutos da terra, exceto o salário do arrendatário, isto é, os custos de produção. Por isso, a propriedade segue de perto o trabalho para arrebatar-lhe tudo o que, no produto, ultrapassa os custos reais. Com o proprietário cumprindo um dever místico e representando, face ao colono, a comunidade, o arrendatário não passa, nas previsões da Providência, de um trabalhador responsável, que deve prestar contas à sociedade de tudo o que colhe além do seu salário legítimo... Por essência e destinação, a renda, pois, é um instrumento de justiça distributiva, um dos milhares de meios que o gênio econômico utiliza para chegar à igualdade. Trata-se de um imenso cadastro, executado contraditoriamente pelos proprietários e arrendatários, sem colisão possível, num interesse superior, e cujo resultado definitivo deve ser a equalização da posse da terra entre os exploradores do solo e os industriais... Era necessária essa magia da propriedade para extrair do colono o

> *excedente do produto que ele não pode*
> *deixar de considerar seu e do qual se crê*
> *o autor exclusivo. A renda, ou, melhor*
> *dizendo, a propriedade, liquidou o egoísmo*
> *agrícola e criou uma solidariedade que*
> *nenhuma força, nenhuma repartição de*
> *terras teria engendrado... Atualmente,*
> *alcançado o efeito moral da propriedade,*
> *resta fazer a distribuição da renda.*

Todo esse estardalhaço de palavras se reduz, antes de qualquer coisa, ao seguinte: Ricardo diz que o excedente do preço dos produtos agrícolas sobre os seus custos de produção, aí compreendidos o lucro e o juro ordinários do capital, dá a medida da renda. O Sr. Proudhon faz melhor: faz o proprietário intervir, como um *deus ex machina* que extrai do *colono* todo o excedente da sua produção sobre os custos desta. Ele se serve da intervenção do proprietário para explicar a propriedade, da intervenção do arrendatário para explicar a renda. Responde ao problema retomando-o de novo e acrescentando-lhe uma sílaba.

Observemos ainda que, determinando a renda pela diferença de fertilidade da terra, o Sr. Proudhon atribui-lhe uma nova origem, uma vez que a terra, antes de ser avaliada segundo os diferentes graus de fertilidade, "não era", no seu entender, "um valor de troca, mas era comum". Em que se transformou, portanto, essa ficção da renda, surgida da *necessidade* de reintegrar à *terra* o homem que *ia se perder no infinito do vazio?*

Desembaracemos agora a doutrina de Ricardo das frases providenciais, alegóricas e místicas com que, zelosamente, o Sr. Proudhon a envolveu.

A renda, no sentido de Ricardo, é a propriedade fundiária no estado burguês, ou seja, a propriedade feudal submetida às condições da produção burguesa.

Vimos que, conforme a doutrina de Ricardo, o preço de todos os objetos é finalmente determinado pelos custos da produção, compreendido aí o lucro industrial; em outros termos, pelo tempo de trabalho empregado. Na indústria manufatureira, o preço do produto obtido com o mínimo de trabalho regula o preço de todas as outras mercadorias da mesma espécie, visto que se pode multiplicar ao infinito os instrumentos de produção menos caros e mais produtivos e que a livre concorrência conduz, necessariamente, a um preço de mercado, ou seja, a um preço comum para todos os produtos da mesma espécie.

Na indústria agrícola, ao contrário, o que regula o preço de todos os produtos da mesma espécie é o preço do produto obtido com a mesma quantidade de trabalho. Em primeiro lugar, não se pode, como na indústria, multiplicar à vontade os instrumentos de produção igualmente produtivos, isto é, os terrenos com o mesmo grau de fertilidade. Depois, na medida em que a população cresce, são explorados terrenos de qualidade inferior ou são feitos, no mesmo terreno, novos investimentos de capital, proporcionalmente menos produtivos que os primeiros. Num e noutro caso, emprega-se uma maior quantidade de trabalho para obter um produto proporcionalmente menor. Visto que o crescimento da população tornou necessário esse acréscimo de trabalho, o produto do terreno de uma exploração mais onerosa tem um escoamento forçado, tanto como é escoado aquele do terreno de uma exploração mais produtiva. Como a concorrência nivela o preço do mercado, o produto do melhor terreno será pago ao mesmo preço do produto do terreno inferior. O excedente do preço dos produtos do terreno melhor sobre os custos da sua produção constitui a renda. Se sempre fossem disponíveis terras com a mesma fertilidade; caso se pudesse, como na indústria manufatureira, recorrer sempre a máquinas mais baratas e produtivas ou se os novos investimentos de capital fossem tão produtivos quanto os anteriores; então o preço dos produtos agrícolas seria determinado pelo custo dos artigos produzidos pelos melhores instrumentos de produção, como vimos no caso dos preços dos produtos manufaturados. Mas também, então, a renda desapareceria.

Para que a doutrina de Ricardo seja verdadeira de modo geral, é preciso que os capitais possam ser livremente aplicados nos diferentes ramos da indústria; que uma concorrência grandemente desenvolvida entre os capitalistas tenha situado os lucros numa taxa igual; que o arrendatário seja um capitalista industrial que procure, para o seu capital investido em terrenos de qualidade inferior, lucros iguais ao que obteria com ele, por exemplo, na indústria algodoeira; que a exploração agrícola esteja submetida ao regime da grande indústria; e que, enfim, o proprietário fundiário mesmo só vise à renda monetária.

Na Irlanda, apesar do extremo desenvolvimento aí experimentado pelo arrendamento, a renda não existe. Posto que a renda seja o excedente não só sobre o salário, mas ainda sobre o lucro industrial, ela não poderia existir onde as receitas do proprietário são apenas uma antecipação sobre o salário.

A renda, pois, longe de fazer do explorador da terra, do arrendatário, um simples trabalhador e de

extrair do colono o excedente do produto
que ele não pode deixar de considerar seu,

coloca, face ao proprietário fundiário, o capitalista industrial em lugar do escravo, do servo, do tributário, do assalariado.

A propriedade fundiária, uma vez constituída em renda, só dispõe do excedente sobre os custos de produção, determinados não somente pelo salário, mas também pelo lucro industrial. É, portanto, do proprietário fundiário que a renda extrai uma parte das suas receitas.

Por isso, decorreu um largo lapso de tempo antes que o arrendatário feudal fosse substituído pelo capitalista industrial. Na Alemanha, por exemplo, essa transformação começou apenas no último terço do século XVIII. Somente na Inglaterra essa relação entre o capitalista industrial e o proprietário fundiário se desenvolveu inteiramente.

Enquanto existia apenas o colono do Sr. Proudhon, não havia renda. Desde que há renda, o colono não é mais arrendatário, é o operário, o colono do arrendatário. O amesquinhamento do trabalhador, reduzido ao papel de simples operário, jornaleiro, assalariado que trabalha para o capitalista industrial; a intervenção do capitalista industrial, que explora a terra como uma fábrica qualquer; a transformação do proprietário fundiário, de pequeno soberano em vulgar usurário – eis as diferentes relações expressas pela renda.

A renda, no sentido de Ricardo, é a agricultura patriarcal transformada em indústria comercial, o capital industrial aplicado à terra, a burguesia das cidades transplantada para os campos. A renda, em vez de ligar o homem à natureza, apenas liga a exploração da terra à concorrência. Uma vez constituída em renda, a propriedade fundiária mesma é o resultado da concorrência, visto que, desde então, ela depende do valor venal dos produtos agrícolas. Como renda, a propriedade fundiária é mobilizada e se torna um objeto de comércio. A renda só é possível a partir do momento em que o desenvolvimento da indústria das cidades e a organização social dela resultante forçam o proprietário fundiário a visar somente ao lucro venal, à relação monetária de seus produtos agrícolas – a ver, enfim, na sua propriedade fundiária, apenas uma máquina de cunhar moedas. A renda separou tão perfeitamente o proprietário fundiário do solo, da natureza, que ele nem necessita conhecer suas terras, como se vê na Inglaterra. Quanto ao arrendatário, ao capitalista industrial e ao operário agrícola, eles não estão mais ligados à terra que exploram do que o empresário e o operário manufatureiro ao algodão ou à lã que fabricam; só experimentam vinculação ao preço da sua exploração, ao produto monetário. Daí as jeremiadas dos partidos reacionários, que apelam com todas as vozes pelo retorno do feudalismo, da boa vida patriarcal, dos costumes simples e das grandes virtudes dos nossos antepassados. A sujeição do solo às leis que regem todas as outras indústrias é e será sempre o tema de condolências interesseiras. Por isso, pode-se dizer que a renda tornou-se a força motriz que lançou o idílio no movimento da história.

Ricardo, depois de supor a produção burguesa como necessária para determinar a renda, aplica-a, todavia, à propriedade fundiária de todas as épocas e de todos os países. Trata-se, aqui, do erro de todos os economistas, que apresentam as relações da produção burguesas como eternas.

Do objetivo providencial da renda, que, para o Sr. Proudhon, é a transformação do *colono* em *trabalhador responsável*, ele passa à retribuição igualitária da renda.

A renda, como acabamos de ver, é constituída pelo *preço igual* de produtos de terrenos de *fertilidade desigual*, de forma que um hectolitro de trigo que custou 10 francos é vendido por 20, se os custos da produção alcançam, em um terreno de qualidade inferior, 20 francos.

Enquanto a necessidade obriga à compra de todos os produtos agrícolas levados ao mercado, o preço de mercado é determinado pelos custos do produto mais caro. Portanto, é essa equalização do preço, resultante da concorrência e não da fertilidade diferente dos terrenos, que proporciona ao proprietário do melhor terreno uma renda de 10 francos em cada hectolitro que seu arrendatário vende.

Suponhamos, por um momento, que o preço do trigo seja determinado pelo tempo de trabalho necessário para produzi-lo; logo, o hectolitro de trigo obtido no melhor terreno será vendido a 10 francos, enquanto que o produzido no terreno de qualidade inferior será pago por 20 francos. Admitida essa suposição, o preço médio do mercado será de 15 francos, enquanto, conforme a lei da concorrência, é de 20 francos. Se o preço médio fosse de 15 francos, não haveria nenhuma distribuição, nem igualitária nem desigual, porque não haveria renda. A renda só existe porque o hectolitro de trigo, que custa ao produtor 10 francos, é vendido por 20. O Sr. Proudhon supõe a igualdade do preço de mercado para custos de produção desiguais para chegar à repartição igualitária do produto da desigualdade.

Podemos conceber que os economistas, como Mill, Cherbuliez, Hilditch e outros, tenham reclamado a atribuição da renda ao Estado para servir à quitação dos impostos. Essa é franca expressão do ódio que o capitalista industrial vota ao proprietário fundiário, que lhe parece uma inutilidade, algo supérfluo no conjunto da produção burguesa.

No entanto, fazer primeiro que se pague o hectolitro de trigo a 20 francos para, em seguida, fazer uma distribuição geral dos 10 francos que se arrancou a mais dos consumidores – isso basta para que o *gênio social* continue *melancolicamente no seu caminho em zigue-zague* e quebre a cabeça num *ângulo* qualquer.

Na pena do Sr. Proudhon, a renda se converte em um imenso cadastro, executado contraditoriamente pelos proprietários e arrendatários... num interesse superior, e cujo resultado definitivo deve ser a equalização da posse da terra entre os exploradores do solo e os industriais.

Para que um cadastro qualquer, constituído pela renda, tenha algum valor prático, é preciso que sempre se permaneça nas condições da sociedade atual.

Ora, já demonstramos que o arrendamento pago ao proprietário exprime com maior ou menor exatidão a renda apenas nos países mais avançados industrial e comercialmente. E mesmo esse arrendamento, com frequência, exprime o juro pago ao proprietário pelo capital incorporado à terra. A situação dos terrenos, a proximidade às cidades e muitas outras circunstâncias influem sobre o arrendamento e modificam a renda. Tais razões, peremptórias, bastariam para provar a inexatidão de um cadastro baseado na renda.

Por sua vez, a renda não poderia ser o índice constante da fertilidade de um terreno, porque a aplicação moderna da química, a cada instante, altera a natureza do solo, e os conhecimentos geológicos começam, justamente nos dias atuais, a modificar por inteiro a antiga avaliação da fertilidade relativa – foi apenas há cerca de vinte anos que se araram vastas áreas dos condenados orientais da Inglaterra, até então incultas porque se apreciavam mal as relações entre o húmus e a composição da camada inferior. Assim, portanto, a história, longe de apresentar, na renda, um cadastro concluído, não faz outra coisa senão alterar, modificar inteiramente os cadastros já prontos.

Finalmente, a fertilidade não é uma qualidade tão natural como se poderia acreditar: ela se vincula intimamente às relações sociais atuais. Uma terra pode ser muito fértil para o cultivo de trigo e, no entanto, o preço do mercado poderá determinar que o cultivador a transforme em pastagem artificial, tornando-a estéril.

O Sr. Proudhon improvisou o seu cadastro, que sequer tem o valor de cadastro comum, apenas para dotar de um corpo o *objetivo providencialmente igualitário* da renda.

> *A renda [continua o Sr. Proudhon] é o juro pago por um capital que jamais perece: a terra. E como esse capital não é suscetível de nenhum acréscimo quanto à matéria, mas somente de melhorias indefinidas quanto ao uso, ocorre que, enquanto o juro ou o lucro do empréstimo (mutuum) tende incessantemente a diminuir pela abundância de capitais, a renda tende a aumentar sempre pelo aperfeiçoamento da*

indústria, de que resulta a melhoria no uso da terra... Eis, na sua essência, a renda[85].

Desta vez, o Sr. Proudhon vê na renda todos os sintomas do juro, com a diferença de que ela provém de um capital de natureza específica. Esse capital é a terra, capital eterno,

> *não é suscetível de nenhum acréscimo quanto à matéria, mas somente de melhorias indefinidas quanto ao uso.*

Na marcha progressiva da civilização, o juro possui uma tendência contínua para a baixa, enquanto a renda tende continuamente a subir. O juro baixa por causa da abundância de capitais; a renda aumenta com os aperfeiçoamentos introduzidos na indústria, que têm por consequência um uso mais inteligente do solo.

Eis, na sua essência, a opinião do Sr. Proudhon.

Examinemos primeiro até que ponto é correto dizer que a renda é o juro de um capital.

Para o proprietário fundiário mesmo, a renda representava o juro do capital que a terra lhe custou, ou que ele obteria se a vendesse. Mas, comprando ou vendendo a terra, ele só compra ou vende a renda. O preço que paga para adquirir a renda é regulado pela taxa de juro geral e nada tem a ver com a própria natureza da renda. O juro dos capitais investidos na terra é, geralmente, inferior ao daquele investido nas manufaturas ou no comércio. Assim, para aquele que não distingue o juro que a terra representa para o proprietário da renda mínima, o juro da terra-capital diminui ainda mais que o dos outros capitais. Mas não se trata do preço de compra ou venda da renda, do seu valor venal, da renda capitalizada – trata-se da própria renda.

O arrendamento pode implicar, ainda, além da renda propriamente dita, o juro do capital incorporado à terra. Então, o proprietário recebe essa parte do arrendamento não como proprietário, mas como capitalista; no entanto, essa não é renda propriamente dita, sobre a qual devemos falar.

A terra, enquanto não é explorada como meio de produção, não é um capital. As terras-capital podem ser acrescidas, como todos os outros meios de produção. Nada se acresce à matéria, para empregar a linguagem do Sr. Proudhon, mas se multiplicam as terras que servem de instrumentos de produção. Basta aplicar às terras, já transformadas em meios de produção, novos capitais para acrescer a terra-capital sem aumentar em nada a terra-matéria – ou seja, sem ampliar a sua extensão. A terra-matéria do Sr. Proudhon é a terra como limite. Quanto à eternidade que ele atribui à terra, admitimos que essa virtude lhe seria própria enquanto matéria. A terra-capital é tão eterna como qualquer outro capital.

O ouro e a prata, que propiciam o juro, são tão duráveis e eternos como a terra. Se o preço do ouro e da prata diminui enquanto o da terra vai subindo, certamente isso não decorre da sua natureza mais ou menos eterna.

A terra-capital é um capital fixo, mas este se desgasta como os capitais circulantes. As melhorias introduzidas na terra necessitam de reprodução e manutenção; elas duram certo tempo, e este é o seu ponto em comum com todas as outras melhorias usadas para transformar a matéria em meio de produção. Se a terra-capital fosse eterna, certos terrenos, hoje, apresentariam um aspecto que não têm:

veríamos os campos de Roma, a Sicília e a Palestina em todo o esplendor da sua antiga prosperidade.

Há mesmo casos em que a terra-capital poderia desaparecer, mesmo que as melhorias permanecessem incorporadas à terra.

Em primeiro lugar, isso ocorre todas as vezes que a renda propriamente dita é anulada pela concorrência de novos terrenos, mais férteis. Depois, porque melhorias que poderiam ter um valor em certa época deixam de possuí-lo a partir do momento em que se tornam universais pelo desenvolvimento da agronomia.

O representante da terra-capital não é o proprietário fundiário, mas o arrendatário. A receita que a terra proporciona como capital são o juro e o lucro industrial, não é a renda. Há terras que oferecem este juro e lucro e que não propiciam renda.

Em resumo, a terra, enquanto proporciona juros, é a terra-capital e, como tal, não oferece renda, não constitui a propriedade fundiária. A renda resulta das relações sociais nas quais se realiza a exploração. Ela não poderia resultar da natureza mais ou menos sólida, mais ou menos durável da terra. A renda não provém do solo, mas da sociedade.

De acordo com o Sr. Proudhon, as "melhorias no uso da terra" – consequências do "aperfeiçoamento da indústria" – são a causa do aumento contínuo da renda. Ao contrário, essas melhorias fazem-na baixar periodicamente.

Em geral, em que consiste toda melhoria, quer na agricultura, quer na manufatura? Consiste em produzir mais com o mesmo trabalho, em produzir tanto ou mesmo mais com menos trabalho.

Graças a essas melhorias, o arrendatário dispensa-se de empregar uma maior quantidade de trabalho para um produto proporcionalmente menor. Assim, ele não tem necessidade de recorrer a terrenos inferiores, e parcelas do capital aplicadas sucessivamente ao mesmo terreno permanecem igualmente produtivas. Portanto, essas melhorias, longe de elevar continuamente a renda, como o Sr. Proudhon o afirma, são, ao contrário, outros obstáculos temporários que se opõem à sua elevação.

Os proprietários ingleses do século XVII percebiam tão bem essa verdade, que se opuseram aos progressos da agricultura, temendo a redução das suas receitas[86].

5

As greves e as coligações operárias

Todo movimento de alta nos salários só pode ter como efeito uma alta do trigo, do vinho etc., ou seja, o efeito de uma escassez. Pois o que é o salário? É o preço de custo do trigo etc.; é o preço integral de todas as coisas. Vamos mais longe: o salário é a proporcionalidade dos elementos que compõem a riqueza e que são consumidos reprodutivamente, a cada dia, pela massa dos trabalhadores. Ora, duplicar os salários é atribuir a cada um dos produtores uma parte maior que o seu produto, o que é contraditório; e se a alta incide apenas sobre um pequeno número de indústrias, provoca uma perturbação geral nas trocas, numa palavra, uma escassez... É impossível, afirmo-o, que as greves seguidas de uma elevação de salários não conduzam a um encarecimento geral: isto é tão certo como dois e dois são quatro[87].

Nós negamos todas essas assertivas, exceto que dois e dois são quatro.

Em primeiro lugar, não existe *encarecimento geral*. Se o preço de toda coisa dobra ao mesmo tempo em que o salário, não há alteração nos preços, mas apenas nos seus termos.

De fato, uma elevação geral dos salários jamais pode produzir um encarecimento mais ou menos geral das mercadorias. Efetivamente, se todas as indústrias empregassem o mesmo número de operários em relação ao capital fixo ou aos instrumentos de que se servem, uma elevação geral dos salários produziria uma redução geral dos lucros e o preço corrente das mercadorias não sofreria nenhuma alteração.

Mas como a relação entre o trabalho manual e o capital fixo não é a mesma nas diferentes indústrias, todas aquelas que empregam relativamente uma massa maior de capital fixo e menos operários serão forçados, cedo ou tarde, a reduzir o preço de suas mercadorias. Em caso contrário, não se reduzindo o preço das mercadorias, seu lucro elevar-se-á acima da taxa comum dos lucros. As máquinas não são assalariados. Portanto, a elevação geral de salários afetará menos as indústrias que empregam, comparativamente às outras, mais máquinas que operários. Mas, com a concorrência tendendo sempre a nivelar os lucros, aqueles que se elevam acima da taxa comum só poderiam ser passageiros. Assim, à parte algumas oscilações, uma elevação geral dos salários conduzirá não a um encarecimento geral, como diz o Sr. Proudhon, mas a uma baixa parcial, ou seja, a uma baixa no preço corrente das mercadorias fabricadas principalmente com a ajuda de máquinas.

A elevação e a baixa do lucro e dos salários exprimem apenas a proporção na qual os capitalistas e os trabalhadores participam do produto de uma jornada de trabalho, sem influir, na maioria dos casos, no preço do produto. Mas

> *as greves seguidas de uma elevação de salários conduzem a um encarecimento geral.*

Eis uma dessas ideias que só podem desabrochar no cérebro de um poeta incompreendido.

Na Inglaterra, as greves regularmente deram lugar à invenção e à aplicação de algumas máquinas novas. As máquinas eram, pode-se dizer, a arma que os capitalistas empregavam para abater o trabalho especial em revolta. A *self-acting mule*, a maior invenção da indústria moderna, colocou fora de combate os fiandeiros revoltados. Ainda que as coalizões e as greves tivessem como efeito voltar contra elas os esforços do gênio mecânico, sempre exerceram uma imensa influência sobre o desenvolvimento da indústria.

> *Vejo [prossegue o Sr. Proudhon] em um artigo publicado pelo Sr. Léon Faucher... em setembro de 1845, que, desde algum tempo, os operários ingleses perderam o hábito das coalizões, o que, seguramente, é um progresso pelo qual eles merecem felicitações; mas essa melhora no moral dos operários decorre, sobretudo, da sua instrução econômica. Os salários não dependem dos manufatureiros – exclamou, no comício de Bolton, um operário fiandeiro. Nas épocas de depressão, os patrões são apenas, por assim dizer, o chicote de que se arma a necessidade e, querendo-o ou não, é preciso que golpeiem. O princípio regulador é a relação entre a oferta e a demanda; e os patrões não têm esse poder... Até que enfim [o Sr. Proudhon exclama] eis operários bem educados, operários moderados etc. etc. Esta miséria faltava à Inglaterra: ela não cruzará o estreito[88].*

De todas as cidades da Inglaterra, Bolton é aquela onde o radicalismo está mais desenvolvido.

Os operários de Bolton são conhecidos por serem extremamente revolucionários. Na época da grande agitação ocorrida na Inglaterra pela abolição das leis sobre os cereais, os fabricantes ingleses não acreditaram que poderiam enfrentar os proprietários fundiários sem colocar à frente os operários. Mas como os interesses dos operários não eram menos opostos aos dos fabricantes que os destes aos dos proprietários fundiários, era natural que os fabricantes não se saíssem bem nos comícios dos operários. O que fizeram os fabricantes? Para salvar as aparências, organizaram comícios compostos em grande parte por contramestres, pelo pequeno número de operários que lhes eram dedicados e por *amigos do comércio* propriamente ditos. Quando, em seguida, os verdadeiros operários tentaram, em Bolton e em Manchester, participar desses comícios para protestar contra essas falsas demonstrações, foi-lhes proibida a entrada, sob o pretexto de que se tratava de *ticket-meeting*. Entende-se por essa expressão um comício do qual só podem participar pessoas munidas de convites. No entanto, os cartazes afixados nas paredes tinham anunciado comícios públicos. Todas as vezes em que havia comícios desse tipo, os jornais dos fabricantes noticiavam com pompa e detalhes os discursos proferidos. Não é preciso dizer que eram feitos pelos contramestres. Os jornais de Londres reproduziam-nos literalmente. O Sr. Proudhon tem a infelicidade de tomar os contramestres por operários comuns e dá-lhes a ordem para não cruzarem o estreito.

Se, em 1844 e 1845, as greves saltavam menos à vista do que antes, é porque estes foram os dois primeiros anos de prosperidade para a indústria inglesa desde 1837. Contudo, nenhuma *trade--union* foi dissolvida.

Ouçamos, agora, os contramestres de Bolton. Segundo eles, os fabricantes não são os donos dos salários porque não são os donos dos preços do produto, e não são os donos dos preços do produto porque não são os donos do mercado do universo. Por essa razão, dão a entender que não é preciso fazer coalizões para arrancar aos patrões um aumento de salários. O Sr. Proudhon, ao contrário, interdita-as, temendo que uma coalizão seja seguida por uma elevação de salários que acarretaria uma escassez geral. Não é preciso dizer que, num único ponto, existe um entendimento cordial entre os contramestres e o Sr. Proudhon: é que uma elevação dos salários equivale a uma alta nos preços dos produtos.

Mas o temor de uma escassez é a verdadeira causa do rancor do Sr. Proudhon? Não. Muito simplesmente, ele não perdoa aos contramestres de Bolton por determinarem o valor pela *oferta* e pela *demanda* e por desprezarem o *valor constituído*, o valor que passou ao estado de constituição, a constituição do valor, aí incluídas a *permutabilidade permanente* e todas as outras *proporcionalidades de relações* e *relações de proporcionalidade*, sustentadas pela Providência.

> *A greve dos operários é ilegal. E não é somente o Código Penal que o afirma, é o sistema econômico, é a necessidade da ordem estabelecida... Que cada operário, individualmente, possa dispor livremente da sua pessoa e dos seus braços, isto é tolerável, mas que os operários empreendam, através de coalizões, violências contra o monopólio, eis o que a sociedade não pode permitir*[89].

O Sr. Proudhon pretende fazer passar um artigo do Código Penal por um resultado necessário e geral das relações de produção burguesas.

Na Inglaterra, as coalizões são autorizadas por um ato do Parlamento e foi o sistema econômico que forçou o Parlamento a dar a tal autorização uma sanção legal. Em 1825 quando, sob o Ministro Huskisson, o Parlamento foi levado a modificar a legislação, para melhor adequá-la a um estado de coisas resultante da livre concorrência, ele teve, necessariamente, que abolir todas as leis que interditavam as coalizões dos operários. Quanto mais a indústria moderna e a concorrência se desenvolvem, tanto mais existem elementos que provocam e favorecem as coalizões e tão logo elas se tornam um fato econômico, assumindo dia a dia mais consistência, não podem tardar em se tornarem um fato legal.

Portanto, o artigo do Código Penal prova, quando muito, que a indústria moderna e a concorrência ainda não estavam bem desenvolvidas sob a Assembleia Constituinte e sob o Império.

Os economistas e os socialistas[90] estão de acordo em relação a um único ponto: a condenação das coalizões. Apenas apresentam motivos diferentes para sua condenação.

Os economistas dizem aos operários: não façam coalizões. Fazendo-as, vocês entravarão a marcha regular da indústria, impedirão os fabricantes de atender às encomendas, perturbarão o comércio e precipitarão a introdução de máquinas que, tornando o seu trabalho parcialmente inútil, forçá-los-ão a aceitar um salário ainda mais baixo. Ademais, seria em vão: o salário de vocês será sempre determinado pela relação entre os braços procurados e os braços oferecidos e é um esforço tão ridículo quanto perigoso a sua revolta contra as leis eternas da economia política.

Os socialistas dizem aos operários: não façam coalizões porque, no fim das contas, o que ganharão? Uma elevação de salários? Os economistas lhes provarão até a evidência que os poucos centavos que vocês poderiam conquistar, por alguns momentos, em caso de êxito, serão seguidos por uma baixa permanente. Calculistas hábeis lhes mostrarão que vocês precisarão de anos para recuperar, apenas considerando o aumento dos salários, o que gastaram para organizar e manter as coalizões. Nós, na nossa qualidade de socialistas, nós lhes diremos que, independentemente dessa questão de dinheiro, antes e depois vocês serão menos operários e os patrões menos patrões. Assim, nada de coalizões, nada de política – pois fazer coalizões não é fazer política?

Os economistas querem que os operários permaneçam na sociedade tal como ela está formada e tal como eles a consignaram e sancionaram em seus manuais.

Os socialistas querem que os operários deixem de lado a sociedade antiga para que possam entrar melhor na sociedade nova que tão previdentemente preparam para eles.

Apesar de uns e outros, apesar dos manuais e das utopias, as coalizões não deixam nunca de progredir e crescer com o desenvolvimento e o crescimento da indústria moderna. E isso a tal ponto que, hoje, o grau alcançado pela coalizão em um país assinala nitidamente o grau que ele ocupa na hierarquia do mercado do universo. A Inglaterra, onde a indústria atingiu o mais alto grau de desenvolvimento, possui as coalizões mais amplas e melhor organizadas.

Na Inglaterra, não se ficou nas coalizões parciais, que só objetivaram uma greve passageira e desapareceram com ela. Formaram-se coalizões permanentes, *trade-unions* que serviram de baluarte aos operários em suas lutas contra os patrões. E, atualmente, todas essas *trade-unions* locais têm um comitê central que está em Londres e já conta com 80.000 membros. A formação dessas greves, coalizões e *trade-unions* caminha simultaneamente às lutas políticas dos trabalhadores, que hoje constituem um grande partido político sob a denominação de Cartistas.

Foi sob a forma de coalizões que se verificaram os primeiros ensaios dos trabalhadores para se associarem entre eles.

A grande indústria aglomera num mesmo local uma multidão de pessoas que não se conhecem. A concorrência divide os seus interesses. Mas a manutenção do salário, esse interesse comum que têm contra seu patrão, os reúne num mesmo pensamento de resistência – coalizão. A coalizão, pois, tem sempre um duplo objetivo: fazer cessar entre elas a concorrência, para poder fazer uma concorrência geral ao capitalista. Se o primeiro objetivo da resistência é apenas a manutenção do salário, na medida em que os capitalistas, por seu turno, se reúnem em um mesmo pensamento de repressão, as coalizões, inicialmente isoladas, agrupam-se e, em face do capital sempre reunido, a manutenção da associação torna-se para elas mais importante que a manutenção do salário. Isso é tão verdadeiro, que os economistas ingleses assombram-se ao ver que os operários sacrificam boa parte do salário em defesa das associações que, aos olhos desses economistas, só existem em defesa do salário. Nessa luta – verdadeira guerra civil – se reúnem e se desenvolvem todos os elementos necessários a uma batalha futura. Uma vez chegada a esse ponto, a associação adquire um caráter político.

As condições econômicas, inicialmente, transformaram a massa do país em trabalhadores. A dominação do capital criou para esta massa uma situação comum, interesses comuns. Essa massa, pois, é já, face ao capital, uma classe, mas ainda não o é para si mesma. Na luta, de que assinalamos algumas fases, esta massa se reúne, se constitui em classe para si mesma. Os interesses que defende se tornam interesses de classe. Mas a luta entre classes é uma luta política.

Na história da burguesia, devemos distinguir duas fases: aquela durante a qual a burguesia se constituiu em classe, sob o regime do feudalismo e da monarquia absoluta, e aquela em que, já constituída em classe, derrubou o feudalismo e a monarquia para fazer da sociedade uma sociedade burguesa. A primeira dessas fases foi mais longa e exigiu os maiores esforços. Ela também se iniciou com coalizões parciais contra os senhores feudais.

Fizeram-se muitas investigações para descrever as diferentes fases históricas que a burguesia percorreu, desde a comuna até a sua constituição como classe.

Mas quando se trata de apresentar um quadro exato das greves, coalizões e outras formas pelas quais, diante de nossos olhos, os proletários realizam sua organização como classe, alguns são tomados por um temor real e outros exibem um desprezo *transcendental*.

Uma classe oprimida é a condição vital de toda sociedade fundada no antagonismo entre classes. A libertação da classe oprimida implica, pois, necessariamente, a criação de uma sociedade nova. Para que a classe oprimida possa libertar-se, é preciso que os poderes produtivos já adquiridos e as relações sociais existentes não possam mais existir uns ao lado de outras. De todos os instrumentos de produção, o maior poder produtivo é a classe revolucionária mesma. A organização dos elementos revolucionários como classe supõe a existência de todas as forças produtivas que poderiam se engendrar no seio da sociedade antiga.

Isso significa que, após a ruína da velha sociedade, haverá uma nova dominação de classe, resumindo-se em um novo poder político? Não.

A condição da libertação da classe laboriosa é a abolição de toda classe, assim como a condição de libertação do terceiro estado, da ordem burguesa, foi a abolição de todos os estados[91] e de todas as ordens.

A classe laboriosa substituirá, no curso do seu desenvolvimento, a antiga sociedade civil por uma associação que excluirá as classes e seu antagonismo, e não haverá mais poder político propriamente dito, uma vez que o poder político é o resumo oficial do antagonismo na sociedade civil.

Entretanto, o antagonismo entre o proletariado e a burguesia é uma luta de uma classe contra outra, luta que, levada à sua expressão mais alta, é uma revolução total. Ademais, é de provocar espanto que uma sociedade, fundada na *oposição* de classes, conduza à *contradição* brutal, a um choque corpo a corpo como derradeiro desfecho?

Não se diga que o movimento social exclui o movimento político. Não há jamais movimento político que não seja, ao mesmo tempo, social.

Somente numa ordem de coisas em que não existam mais classes e antagonismos entre classes que as *evoluções sociais* deixarão de ser *revoluções políticas*. Até lá, às vésperas de cada reorganização geral da sociedade, a última palavra da ciência social será sempre

> *o combate ou a morte; a luta sanguinária ou o nada. É assim que a questão está irresistivelmente posta (George Sand).*

Anexos

1
Proudhon julgado por K. Marx

Carta a J.-B. Schweitzer[92]

Londres, 24 de janeiro de 1865.

Caro Senhor,

[...] Recebi ontem a sua carta, na qual me solicita um julgamento detalhado sobre Proudhon. A falta de tempo não me permite atender a seu pedido. Além disso, não tenho à mão nenhum de seus escritos. Entretanto, para lhe demonstrar a minha boa vontade, redigi às pressas um breve esboço. O senhor pode fazer adições ou reduzi-lo; resumindo: pode fazer com este material o que lhe aprouver.

Já não me recordo dos primeiros ensaios de Proudhon. Seu trabalho de escolar sobre a *Língua universal* comprova a falta de cerimônia com que tratava problemas para cuja solução lhe faltavam os conhecimentos mais elementares.

Sua primeira obra, *O que é a propriedade?*, é sem dúvida a melhor. Ela marcou época, se não pela originalidade do seu conteúdo, ao menos pela maneira nova e audaciosa de dizer coisas antigas. Nas obras dos socialistas e comunistas franceses, que ele conhecia, a *propriété*[93] fora, não só, como é natural, criticada sob vários pontos de vista, mas também utopicamente abolida. Com esse livro, Proudhon colocou-se, em relação a Saint-Simon e a Fourier, quase no mesmo plano em que Feuerbach se encontra em relação a Hegel. Comparado a Hegel, Feuerbach é muito pobre. Contudo, depois de Hegel, ele marcou uma época, visto que realçou alguns pontos pouco agradáveis para a consciência cristã e importantes para o progresso da crítica, que Hegel deixara em um *clair-obscur*[94] místico.

O estilo de Proudhon, aí é – se me permite dizer – vigorosamente musculoso, constituindo, no meu entender, a principal qualidade desse estudo. Mesmo nas passagens em que Proudhon limita-se a repetir o conhecido, a simples reprodução é para ele um descobrimento; o que ele diz é, para ele, original, algo novo, e ele passa como tal.

A audácia provocadora com que ele ataca o "santuário" econômico, os engenhosos paradoxos com que ironiza a vulgaridade do burguês, seus juízos corrosivos, a ironia amarga, um profundo e sincero sentimento de indignação expresso intermitentemente contra as infâmias da ordem existente, sua convicção revolucionária – todas essas qualidades contribuíram para que *O que é a propriedade?* eletrizasse os leitores e produzisse uma grande impressão, desde o primeiro momento em que foi lançado. Numa história rigorosamente científica da economia política, esse texto mal seria mencionado. Mas, como na literatura romântica, obras como essa desempenham um papel na ciência. Pense-se, por exemplo, no livro de Malthus, *Ensaio sobre a população*. Sua primeira edição não constitui mais do que um panfleto sensacional[95] e, ademais, era um da primeira à última linha. E, apesar de tudo, como essa pasquinada causou impacto sobre o gênero humano!

Se eu tivesse à mão o livro de Proudhon, ser-me-ia fácil demonstrar, com alguns exemplos, sua maneira inicial de escrever. Nos parágrafos considerados mais importantes por ele mesmo, imita o método das antinomias de Kant – o único filósofo alemão que conhecia naquela época, através de traduções –, oferecendo-nos a sólida impressão de que, assim como Kant, busca a solução das antinomias num "mais além" do entendimento humano, isto é: a solução permanece obscura para ele mesmo.

Apesar da sua aparência de assalto ao céu, encontra-se em *O que é a propriedade?* esta contradição: de um lado, Proudhon critica a sociedade a partir do ponto do pequeno camponês (mais tarde do *petit-bourgeois*[96]) francês; de outro, aplica a ela a escala que lhe transmitiram os socialistas.

Além disso, o próprio título indica as deficiências do texto. O problema fora tão mal colocado, que a solução não podia ser correta. As "relações de propriedade" dos tempos antigos foram destruídas pela propriedade feudal, e esta pela propriedade burguesa. Assim, a própria história encarregou-se de submeter à crítica as relações de propriedade do passado. No fundo, Proudhon trata é da moderna propriedade burguesa, tal como existe hoje. À pergunta sobre o que é essa propriedade, só se podia responder com uma análise crítica da economia política, que abarcasse o conjunto dessas relações de propriedade não em sua expressão jurídica, mas em sua forma real, isto é, como relações de produção. Mas como Proudhon vinculava a totalidade dessas relações ao conceito jurídico geral de propriedade, não podia ir além da resposta que Brissot já dera, numa obra similar, anterior a 1789, repetindo-a com as mesmas palavras: "A propriedade é o roubo"[97].

A conclusão que daí se pode concluir, no melhor dos casos, é que o conceito jurídico burguês de roubo é aplicável, também, aos lucros honestos do próprio burguês. Ademais, já que o roubo, como violação da propriedade, pressupõe a propriedade, Proudhon enredou-se em toda sorte de elucubrações sobre a verdadeira propriedade burguesa.

Durante minha estada em Paris, em 1844, travei conhecimento pessoal com Proudhon. Menciono aqui o fato porque, em certa medida, sou responsável pela sua *"sophistication"*, como os ingleses chamam a adulteração de mercadorias. Em nossas longas discussões, que frequentemente duravam noites, contagiei-o, para grande desgraça sua, com o hegelianismo que, por seu desconhecimento da língua alemã, não podia estudar a fundo. Após a minha expulsão de Paris, o Sr. Karl Grün continuou o que eu iniciara. Professor de filosofia alemã, ele tinha sobre mim a vantagem de não entender uma palavra do que ensinava.

Pouco antes da publicação de sua segunda obra mais importante, *Filosofia da miséria*, Proudhon anunciou-me sua edição seguinte numa carta muito detalhada, na qual, entre outras coisas, dizia-me o seguinte: "J'attends votre férule critique"[98]. Mas, assim que minha crítica caiu sobre ele (em meu livro *Miséria da filosofia*, Paris, 1847) de tal forma, pôs fim, para sempre, à nossa amizade.

Do que procede, como o senhor poderá ver, sua *Filosofia da miséria ou Sistema das contradições econômicas*, deveria, finalmente, dar a resposta à questão: O que é a propriedade? De fato, somente depois da publicação de seu primeiro livro, Proudhon iniciou seus estudos econômicos; compreendera que à pergunta em questão não se podia responder com invectivas, mas através de uma análise da economia política moderna. Ao mesmo tempo tentou expor, dialeticamente, o sistema das categorias econômicas. A contradição hegeliana devia substituir a insolúvel antinomia de Kant, como meio de desenvolvimento.

Para a crítica desses dois grossos volumes, eu vou lhe enviar a minha réplica. Nessa réplica demonstro, entre outras coisas, o pouco que Proudhon penetrou nos segredos da dialética científica e até que ponto, por outro lado, compartilha das ilusões da filosofia especulativa, quando, ao invés de considerar as categorias históricas como expressões teóricas de relações de produção históricas e correspondentes a um determinado nível do desenvolvimento da produção material, converte-as, absurdamente, em ideias eternas, preexistentes. Com essa meia-volta, ele retorna ao ponto de vista da economia burguesa[99].

Depois eu demonstrei o quanto defeituoso e rudimentar é seu conhecimento de economia política, cuja crítica ele se dedica, e como, à semelhança dos utopistas, correndo atrás de uma pretensa ciência da qual se pode arrancar *a priori* uma fórmula para a solução do problema social, em vez de ir buscar a fonte da ciência no conhecimento crítico do movimento histórico, movimento que cria, ele mesmo, as condições materiais da emancipação. Demonstrei, sobretudo, que Proudhon só tem ideias vagas, falsas e parciais sobre o valor de troca, fundamento de toda economia, e como, inclusive, vê na interpretação utópica da teoria de Ricardo a base de uma nova ciência. Meu juízo sobre a sua concepção geral, resumo-o nas seguintes palavras:

> Cada relação econômica tem um lado bom e um lado mau: esse é o único ponto em que o Sr. Proudhon não se desmente. O lado bom, ele vê exposto pelos economistas; o mau, denunciado pelos socialistas. Dos economistas, ele toma a necessidade de relações eternas; dos socialistas, a ilusão de ver na miséria apenas a miséria (ao invés de ver nela o lado revolucionário, destrutivo, que há de acabar com a velha sociedade). Ele está de acordo com uns e outros quando se trata de apoiar-se na autoridade da ciência. Para ele, a ciência se reduz às magras proporções de uma fórmula científica. É um homem à caça de fórmulas. Assim, o Sr. Proudhon jacta-se de oferecer-nos uma crítica da economia política e do comunismo, quando, na realidade, permanece muito abaixo um do outro. Dos economistas porque, como filósofo, de posse de uma fórmula mágica, julga-se dispensado da obrigação de entrar em detalhes puramente econômicos; dos socialistas porque carece de perspicácia e da coragem necessárias para elevar-se, ainda que apenas no terreno da especulação, para além do horizonte burguês.
> [...] ele pretende, como homem de ciência, pairar acima de burgueses e proletários,

> *mas não passa do pequeno-burguês que*
> *oscila, constantemente, entre o capital e o*
> *trabalho, entre a economia política*
> *e comunismo.*

Por mais duro que possa parecer esse juízo, subscrevo ainda hoje cada uma das suas palavras. Ao mesmo tempo, é preciso recordar que, na época em que firmei, e demonstrei teoricamente que o livro de Proudhon era o código do socialismo dos *petits-bourgeois*[100], os economistas e os socialistas o excomungaram como um herético ultrarrevolucionário. Essa é a razão pela qual, posteriormente, jamais fiz coro com os que denunciaram a sua "traição" à revolução. Não foi culpa sua se, incompreendido inicialmente tanto pelos outros como por si mesmo, ele não satisfez expectativas infundadas.

Em contraste com *O que é a propriedade?*, na *Filosofia da miséria* todos os defeitos do estilo proudhoniano ressaltam particularmente. O estilo costuma ser aquilo que os franceses chamam de *ampoulé*[101]. Sempre que lhe falta a acuidade gaulesa, aparece uma pomposa algaravia especulativa que pretende ser o estilo filosófico alemão. O tom charlatanesco, fanfarão e vaidoso e, especialmente, o leilão que faz de uma pretensa "ciência", a bazófia com que a apresenta – tudo isso assombra. O entusiasmo sincero que anima a sua primeira obra é aqui, em inúmeras passagens, substituído sistematicamente pelo ardor febril da declaração. A isso se soma o afã pedante de fazer gala de erudição, afã próprio de um autodidata, cujo orgulho inato por seu pensamento original e independente se perdeu e que, em sua qualidade de novo rico da ciência, orgulha-se do que não é e não tem. E, de sobra, essa mentalidade de pequeno-burguês, que o leva a atacar de um modo indigno, grosseiro, torpe, superficial e até injusto a um homem como Cabet – merecedor de respeito pela sua atividade prática entre o proletariado francês –, enquanto exibe extremos de amabilidade para Dunoyer – conselheiro de Estado, é verdade, mas cuja importância se reduz à cômica seriedade com que, em três grossos volumes, insuportavelmente entediantes, prega o rigorismo, caracterizado por Helvetius nestes termos: "On veut que les malheureux soient parfaits"[102].

De fato, a revolução de fevereiro foi uma surpresa desagradável para Proudhon, visto que ele, poucas semanas antes, demonstrara irrefutavelmente que a "era das revoluções" passara para sempre. No entanto, a sua intervenção na Assembleia Nacional merece elogios, apesar de ter evidenciado o pouco que compreendia do que estava ocorrendo. Efetuada após a insurreição de junho, foi um ato de grande coragem. Sua intervenção teve, além disso, resultados positivos: no discurso que pronunciou em oposição a Proudhon, e que, mais tarde, foi publicado em folheto, o Sr. Thiers demonstrou a toda a Europa quão mísero e infantil era o catecismo que servia de pedestal a esse pilar espiritual da burguesia francesa. Comparado ao Sr. Thiers, Proudhon adquirira, certamente, as dimensões de um colosso antediluviano. A descoberta do "crédito gratuito" e do "banco do povo" baseado nele são as últimas façanhas econômicas de Proudhon. Na minha obra *Zur Kritik der politischen Oekonomie* [*Contribuição para a crítica da economia política*] (Berlim, 1859, p. 59-64)[103], demonstrei que a base teórica das ideias proudhonianas tem sua origem na ignorância dos princípios elementares da economia política burguesa, a saber: a relação entre a *mercadoria* e o *dinheiro*. Quanto ao edifício erguido sobre essa base, não é mais que uma simples reprodução de esquemas velhos e muito melhor desenvolvidos.

Não há dúvida, e é evidente por si mesmo, que o crédito, como ocorreu na Inglaterra em princípios do século XVIII e voltou a ocorrer no início do século XIX, contribuiu para que as riquezas passassem das mãos de uma classe às de outra, e que, em determinadas condições econômicas e políticas, poderá ser um fator que acelere a emancipação do proletariado. Mas é uma fantasia genuinamente filistina considerar que o *capital que produz juros é a forma principal do capital* e tratar de converter uma aplicação particular do crédito – uma suposta abolição do juro – em base da transformação social. Com efeito, essa fantasia já fora minunciosamente desenvolvida pelos porta-vozes econômicos da pequena-burguesia inglesa do século XVII. A polêmica de Proudhon com Bastiat sobre o capital que produz juros (1850) está muito aquém da *Filosofia da miséria*. Proudhon consegue ser derrotado por Bastiat, e entra em furo cômico cada vez que o adversário lhe assesta um golpe.

Há alguns anos, Proudhon escreveu, para um concurso organizado, se bem me recordo, pelo governo do Cantão de Vaud, uma dissertação sobre impostos. Aí desaparecem, por completo, os últimos vestígios do gênio e nada mais resta que o pequeno-burguês *tout pur*[104].

Os escritos políticos e filosóficos de Proudhon apresentam todos eles o mesmo caráter ambíguo e contraditório dos seus trabalhos sobre economia. Além do mais, seu valor não ultrapassa as fronteiras francesas. Entretanto, seus ataques à religião, à Igreja etc. possuem um grande mérito, por terem sido escritos na França numa época em que os socialistas franceses julgavam oportuno fazer constar que os seus sentimentos religiosos os situavam acima do voltairianismo burguês do século XVIII e do ateísmo alemão do século XIX. Se Pedro o Grande derrotou a barbárie russa com a barbárie, Proudhon fez o que pôde para derrotar com frases a fraseologia francesa.

Seu texto sobre o *golpe de Estado* não deve ser considerado, simplesmente, como uma obra ruim, mas como uma verdadeira vilania que, ademais, corresponde plenamente a seu ponto de vista pequeno-burguês. Nesse livro, lisonjeia Luís Bonaparte, procurando torná-lo aceitável aos operários franceses. O mesmo vale para a sua última obra contra a Polônia, na qual, para a maior glória do czar, demonstra o cinismo próprio de um cretino.

Frequentemente, Proudhon foi comparado a Rousseau. Nada tão falso. Está mais próximo a Nicholas Linguet, cujo livro *A teoria das leis civis* é uma obra de gênio.

A natureza de Proudhon possuía uma inclinação para a dialética. Mas nunca compreendeu a verdadeira dialética científica – não foi além de sofismas. Na verdade, isso se explica pela sua mentalidade pequeno-burguesa. À semelhança do historiógrafo Raumer, o pequeno-burguês constitui-se de "por uma parte" e de "por outra parte". Como tal se nos revela em seus interesses econômicos e, logo, também em sua política e em suas concepções religiosas, científicas e artísticas. Assim nos aparece em sua moral e em tudo.

E se é, além disso, como Proudhon, uma pessoa de espírito, logo aprenderá a fazer prestidigitação com as suas próprias contradições e a convertê-las, segundo as circunstâncias, em paradoxos inesperados, espetaculares, ora escandalosos, ora brilhantes. Charlatanismo científico e oportunismo político são elementos inseparáveis de semelhante posição. A homens assim só resta um estímulo: a *vaidade* do indivíduo. Como a todos os vaidosos, preocupa-lhes unicamente o êxito momentâneo, a sensação de um dia. E é aí que se perde, fatalmente, o tato moral que sempre preservou Rousseau, por exemplo, de todo compromisso, mesmo aparente, com os poderes existentes.

Talvez a posteridade, caracterizando esse período recente da história da França, diga que Luís Bonaparte foi seu Napoleão e Proudhon o seu Rousseau-Voltaire.

O senhor me atribui o papel de juiz... Pouco tempo após a morte do homem. Debito-lhe a responsabilidade que me foi imposta.

Respeitosamente,

Karl Marx

2
John Gray e os
vales de trabalho[105]

Foi John Gray[106] quem, pela primeira vez, desenvolveu sistematicamente a teoria do tempo de trabalho enquanto unidade de medida imediata da moeda. Um banco central nacional, com o apoio das suas sucursais, certifica o tempo de trabalho investido na produção das diversas mercadorias. Em troca da mercadoria[107], o produtor recebe um certificado oficial do seu valor, ou seja, um recibo que atesta a quantidade de trabalho contida na sua mercadoria, e esses bilhetes bancários de uma semana de trabalho, um dia de trabalho, uma hora de trabalho etc., funcionam simultaneamente como vales para um equivalente em todas as outras mercadorias armazenadas nos depósitos do banco[108]. Esse é o princípio fundamental, desenvolvido detalhadamente e sempre sustentado nas instituições existentes na Inglaterra. Com esse sistema, segundo Gray,

> *seria sempre tão fácil vender por dinheiro quanto, hoje, é fácil comprar com dinheiro; a produção seria a fonte uniforme e jamais exaurida da demanda[109].*

Os metais preciosos perderiam o seu "privilégio" sobre as outras mercadorias e

> *tomariam, no mercado, o lugar que lhes cabe, ao lado da manteiga e dos ovos, dos lençóis e dos tecidos de algodão, e seu valor nos interessaria tanto quanto o dos diamantes[110].*

> *Devemos conservar a nossa fictícia medida dos valores, o ouro, entravando assim as forças produtivas do país, ou devemos recorrer à medida natural dos valores, o trabalho, liberando as forças produtivas do país?[111]*

Se o tempo de trabalho é a medida imanente dos valores, por que lhe aduzir outra medida exterior? Por que todas as mercadorias se avaliam por uma única mercadoria, que assim se transforma em modo de existência adequado do valor de troca, em dinheiro? Esse era o problema que Gray tinha de resolver. Em vez de solucioná-lo, ele imaginou que as mercadorias poderiam se relacionar entre si, diretamente, como produtos do trabalho social. Elas, porém, só podem se relacionar entre si por aquilo que são. E são, imediatamente, produtos de trabalhos privados, independentes e isolados que, através da sua alienação no processo da troca privada, devem ser reconhecidos como trabalho social geral. Noutros termos: sobre a base da produção mercantil, o trabalho só se torna trabalho social pela alienação universal dos trabalhos individuais. Mas, ao colocar o tempo de trabalho contido nas mercadorias como *imediatamente social*, Gray o coloca como tempo de trabalho coletivo ou como tempo de trabalho de indivíduos diretamente associados. Neste caso, realmente, uma mercadoria específica, como o ouro e a prata, não poderia apresentar-se face às outras como a encarnação do trabalho geral; o valor de troca não se converteria em preço; mas, também, o va-

237

lor de uso não se transformaria em valor de troca e o produto não se transformaria em mercadoria, de forma que a própria base da produção burguesa seria suprimida. Mas esse não é, em absoluto, o pensamento de Gray. *Os produtos devem ser fabricados como mercadorias, mas não devem ser trocados como tais.* Gray confia a um banco nacional a execução desse piedoso desejo. De um lado, a sociedade, sob a forma do banco, independentiza os indivíduos das condições da troca privada; de outro, deixa-os continuar produzindo sobre a base da troca privada. Entretanto, a lógica interna compele Gray a negar, uma após as outras, as condições da produção burguesa, embora ele queira, apenas, "reformar" a moeda oriunda da troca mercantil. Assim, transforma o capital em capital nacional[112], a propriedade fundiária em propriedade nacional[113] e, caso se examine com cuidado o seu banco, verifica-se que ele não se limita a receber as mercadorias e a entregar certificados de trabalho investido, mas regula a própria produção. Em sua última obra, *Lectures on Money*, onde Gray procura ansiosamente apresentar a sua moeda-trabalho como uma reforma puramente burguesa, ele se confunde em contradições ainda mais gritantes.

Toda mercadoria, imediatamente, é moeda. Essa era a teoria de Gray, deduzida da sua análise incompleta e, por isso mesmo, falsa, da mercadoria. A construção "orgânica" de uma "moeda-trabalho", de um "banco nacional" e de "depósitos de mercadorias" é uma quimera, na qual um dogma equivocado se apresenta como lei universal. O dogma que considera a mercadoria imediatamente como moeda, ou que identifica imediatamente o trabalho individual privado nela contido com o trabalho social, não se tornará uma verdade porque um banco acredita nele e opera de acordo com ele. Nesse caso, a falência assumirá o papel da crítica prática. O que em Gray permanece oculto e é, para ele mesmo, um segredo, é justamente o fato de a moeda-trabalho ser uma expressão econômica vazia, manifestação do piedoso desejo de abolir o dinheiro, com o dinheiro abolir o valor de troca, com o valor de troca abolir a mercadoria, com a mercadoria abolir a forma burguesa da produção. E precisamente isso foi dito, sem dissimulação, por alguns socialistas ingleses, que escreveram antes e depois de Gray[114]. Todavia, apenas ao Sr. Proudhon e à sua escola estava reservado preconizar seriamente a degradação do *dinheiro* e a sacralização da *mercadoria* como a essência do socialismo, reduzindo, assim, o socialismo a uma cândida incompreensão da necessária relação entre a mercadoria e o dinheiro[115].

3
Discurso sobre a questão do livre-comércio[116]

Senhores,

A abolição das leis sobre os cereais[117], na Inglaterra, constitui o maior triunfo do livre-comércio no século XIX. Em todos os países onde os fabricantes reclamam o livre-comércio, eles pensam sobretudo no livre-comércio dos cereais e das matérias-primas em geral. Tributar com taxas protecionistas os cereais estrangeiros é uma infâmia, é especular com a fome dos povos.

Pão barato, salários altos, *cheap food*, *high wages*: eis o único objetivo em função do qual os *free-traders* ingleses gastaram milhões e já contagiaram com seu entusiasmo os seus confrades continentais. Geralmente, quando se deseja o livre-comércio, é para melhorar a condição da classe trabalhadora.

Mas – coisa espantosa! – o povo, ao qual se quer propiciar, a todo custo, o pão barato, é muito ingrato. O pão barato desfruta hoje na Inglaterra da mesma má reputação que o governo barato na França. Em homens devotados como um Bowring, um Bright e consortes, o povo vê os seus maiores inimigos e os hipócritas mais descarados.

Vejamos agora como os *free-traders* ingleses provaram ao povo a bondade dos sentimentos que estimulavam a sua ação.

Eis o que eles diziam aos operários fabris:

> *O imposto sobre os cereais é um imposto sobre os salários, que vocês pagam aos latifundiários, estes aristocratas da Idade Média; se a situação de vocês é miserável, a causa está no alto preço dos víveres de primeira necessidade.*

Por seu turno, os operários perguntavam aos fabricantes:

> *Como é que nos últimos trinta anos, quando a nossa indústria se desenvolveu mais, o nosso salário foi reduzido numa proporção bem maior que o aumento do preço dos cereais?*
>
> *O imposto que, segundo vocês afirmam, pagamos aos latifundiários, corresponde aproximadamente a 3 pences semanais por operário. No entanto, o salário do tecelão manual foi reduzido, entre 1815 e 1843, de 28 sh para 5 sh semanais; e o salário de quem trabalha em tear mecânico foi reduzido, no mesmo período, de 20 sh para 8 sh semanais.*
>
> *Contudo, durante todo esse tempo, o imposto que pagamos nunca passou de 3 pences. E, em 1834, quando o pão estava barato e o comércio ia bem, o que vocês diziam? Se são infelizes, é porque têm muitos filhos, porque as suas famílias crescem mais que o seu trabalho!*
>
> *Era isso o que nos diziam à época, quando vocês promulgavam novas leis contra os pobres e construíam as* work-houses, *essas bastilhas dos proletários.*

A isso, os patrões replicavam:

> *Vocês têm razão, senhores operários; o*
> *salário não é determinado apenas pelos*
> *preços dos cereais, mas também pela*
> *concorrência entre os braços que se oferecem*
> *no mercado de trabalho.*
> *Mas observem bem uma coisa: a nossa*
> *terra se compõe de pedras e areia. Vocês*
> *pensam, por acaso, que se pode cultivar*
> *trigo em vasos de flor? Assim, se em vez de*
> *consagrar nosso capital e nosso trabalho*
> *a uma terra estéril, abandonássemos*
> *a agricultura para nos dedicar*
> *exclusivamente à indústria, a Europa*
> *inteira fecharia as suas manufaturas*
> *e a Inglaterra se transformaria numa*
> *só grande cidade fabril, cuja província*
> *agrícola seria o resto da Europa.*

Mas esse discurso do fabricante aos seus operários é interrompido pelo pequeno comerciante, que lhe diz:

> *Se abolirmos as leis sobre os cereais, de*
> *fato arruinamos a agricultura, mas não*
> *obrigamos os outros países a comprar das*
> *nossas fábricas, fechando as suas.*
> *Qual seria o resultado? Eu perderia os*
> *clientes que hoje tenho no campo e o*
> *comércio interno perderia os seus mercados.*

O fabricante, virando as costas aos operários, responde ao merceeiro:

> *Quanto a isto, deem-nos liberdade de*
> *ação. Abolindo o imposto sobre os cereais,*
> *teremos trigo estrangeiro a preço baixo.*
> *Então, reduziremos os salários, que, ao*
> *mesmo tempo, subirão nos países de que*
> *importamos grãos.*
> *Assim, além das vantagens que temos hoje,*
> *contaremos ainda com um salário menor e,*
> *com tudo isso, obrigaremos o continente a*
> *adquirir as nossas mercadorias.*

E eis que o arrendatário e o operário agrícola entram na discussão:

> *E nós, o que será de nós?*
> *Iríamos decretar a sentença de morte da*
> *agricultura da qual vivemos? Permitiremos*
> *que nos arranquem a terra que pisamos?*

A resposta da Anti-Corn Law League é simples: ela limitou-se a oferecer prêmios aos três melhores trabalhos que mostrassem a influência salutar da abolição das leis sobre os cereais na agricultura inglesa.

Esses prêmios foram concedidos aos Srs. Hope, Morse e Greg, cujos livros foram distribuídos nas zonas rurais em milhares de exemplares.

Um dos laureados procura demonstrar que, com a livre importação de cereais, não serão prejudicados nem o arrendatário nem o operário agrícola, mas unicamente o proprietário fundiário.

O fazendeiro inglês, escreve ele, não deve temer a abolição das leis sobre os cereais, porque nenhum país poderia produzir um trigo tão bom e tão barato como a Inglaterra. Por isso, mesmo com o preço dos cereais em baixa, o arrendatário nada perderá: a baixa só influenciará a renda, que seria reduzida, mas não incidiria nem sobre o lucro industrial nem sobre o salário, que continuariam os mesmos.

Já o segundo laureado, o Sr. Morse, sustenta, ao contrário, que o preço do trigo se elevaria em seguida à abolição das leis sobre os cereais. Ele faz infinitos esforços para demonstrar que a legislação protecionista jamais garantiu um preço remunerador ao trigo.

Para apoiar a sua assertiva, ele refere o fato de que, todas as vezes em que se importou trigo, seu preço subiu consideravelmente na Inglaterra e que, quando se importou pouco, o preço caiu muito. O laureado se esquece de que a importação não causava o preço elevado, mas que o preço elevado é que era a causa da importação.

Em oposição total ao seu confrade laureado, ele afirma que todo aumento no preço dos cereais resulta em proveito do fazendeiro e do operário, e não em benefício do proprietário.

O terceiro laureado, o Sr. Greg, grande fabricante e cujo livro dirige-se aos grandes fazendeiros, não poderia se contentar com semelhantes bagatelas. A sua linguagem é mais científica. Ele reconhece que as leis sobre os cereais só favorecem a elevação das rendas enquanto elevam o preço do trigo, e que só elevam o preço do trigo impondo ao capital a necessidade de investir-se em terras de qualidade inferior, o que é facilmente explicável.

Na medida em que a população cresce, estando proibida a importação de cereais, é necessário explorar terras menos férteis, cujo cultivo é mais oneroso e cujo produto, consequentemente, é mais caro.

Uma vez que a venda do grão está assegurada, os preços, obrigatoriamente, são regulados pelos preços dos produtos obtidos nos terrenos que exigem mais gastos. A diferença que existe entre esses preços e os custos de produção nos melhores terrenos constitui a renda.

Portanto, se abolidas as leis sobre os cereais cai o preço do trigo e, logo, a renda, é porque os terrenos piores deixam de ser cultivados. Assim, a redução da renda provocará, inevitavelmente, a ruína de uma parte dos fazendeiros.

Essas observações eram necessárias para esclarecer a linguagem do Sr. Greg.

Os pequenos fazendeiros, escreve ele, que não puderem continuar ligados à agricultura, encontrarão meios de subsistência na indústria. Quanto aos grandes arrendatários, sairão ganhando com isto: ou os proprietários serão forçados a lhes vender suas terras a preço baixo ou os contratos de arrendamento serão feitos em longo prazo. Isso lhes permitirá investir grandes capitais na agricultura e empregar máquinas em larga escala, economizando o trabalho manual que, por seu turno, será barateado em função da baixa geral dos salários, consequência imediata da abolição das leis sobre os cereais.

O Dr. Bowring conferiu a todos esses argumentos uma consagração religiosa, exclamando numa reunião pública:

> *Jesus Cristo é o* free-trade*; o* free-trade *é Jesus Cristo!*

É compreensível que toda essa hipocrisia não seja capaz de tornar o pão barato menos amargo para os operários.

Por sua vez, como os operários poderiam acreditar na repentina filantropia dos fabricantes, a mesma gente que combatia a lei das dez horas, pela qual se pretendia reduzir de doze para dez horas a jornada de trabalho do operário fabril?

Para que os senhores possam ter uma ideia da filantropia dos fabricantes, evocarei os regulamentos vigentes em todas as fábricas.

Cada fabricante possui, para seu uso próprio, um verdadeiro código que prescreve multas para todas as faltas voluntárias ou involuntárias. Por exemplo, o operário pagará tanto se tem a infelicidade de se sentar numa cadeira, caso sussurre algo, se conversa, se ri, caso se atrase por alguns minutos, se uma peça da máquina quebra, se não produz os artigos conforme a quantidade estipulada etc. As multas são sempre superiores aos danos reais causados pelo operário. E, para tornar as faltas mais acessíveis, o relógio da fábrica é adiantado e o operário deve entregar artigos de qualidade recebendo, para tanto, matérias-primas muito ruins. O contramestre que não for suficientemente hábil para multiplicar os casos passíveis de multa é logo substituído.

Como os senhores podem ver, esta legislação doméstica é preparada para provocar faltas, faltas que proporcionam dinheiro através das multas. O fabricante, pois, emprega todos os meios para reduzir o salário nominal e para explorar até mesmo os acidentes que escapam ao controle do operário.

E esses fabricantes são exatamente os filantropos que quiseram fazer crer aos operários que eram capazes de enormes despesas apenas para melhorar a sua sorte.

Assim, de um lado, eles reduzem o salário do operário da maneira mais mesquinha, através dos regulamentos das fábricas e, de outro, sacrificam-se grandemente para elevá-lo, através da Anti-Corn Law League.

Com enormes gastos, constroem palácios nos quais a *League* estabelece, de certo modo, a sua sede oficial; enviam um exército de missionários a todos os pontos da Inglaterra, para que preguem a religião do livre-comércio; publicam e distribuem, gratuitamente, milhares de folhetos, para que os operários conheçam seus próprios interesses; despendem grandes somas para atrair a imprensa para a sua causa; organizam um grande aparelho administrativo para dirigir os movimentos livre-cambistas e esbanjam eloquência nas reuniões públicas. Em um desses comícios, um operário exclamou:

> *Se os proprietários fundiários vendessem nossos ossos, vocês, os fabricantes, seriam os primeiros a comprá-los, para lançá-los num moinho a vapor e fazer farinha com eles.*

Os operários ingleses compreenderam muito bem a significação da luta entre os proprietários fundiários e os capitalistas industriais. Sabem muito bem que se pretendia reduzir o preço do pão para diminuir os salários e que o lucro industrial aumentaria na mesma proporção em que diminuísse a renda.

Ricardo, o apóstolo dos *free-traders* ingleses, o economista mais famoso do nosso século, concorda plenamente com os operários nessa questão.

Em sua célebre obra sobre economia política, diz:

> *Se, em vez de cultivar trigo em nosso país, descobríssemos um novo mercado no qual pudéssemos obtê-lo a preço mais baixo, então os salários baixariam e os lucros cresceriam. A baixa dos preços dos produtos agrícolas reduz os salários não só dos operários ocupados no cultivo da terra, mas também de todos os que trabalham na indústria ou estão empregados no comércio.*

E os senhores não devem acreditar que ao operário seja totalmente indiferente receber apenas quatro francos, estando o trigo mais barato, quando antes recebia cinco francos.

O seu salário, por acaso, não caiu sempre mais em relação ao lucro? Não é claro que a sua posição social foi piorando em comparação com a do capitalista? Além disso, ele sofre de fato uma perda direta.

Enquanto o preço do trigo era mais alto, sendo-o igualmente o salário, bastava ao operário uma pequena economia feita no consumo do pão para poder satisfazer outras necessidades. Mas quando o preço do pão cai e, em consequência, cai o salário, o operário não pode economizar apenas no pão para comprar outros artigos.

Os operários ingleses deram a entender aos *free-Traders* que não estão dispostos a serem vítimas de suas ilusões e mentiras e se, apesar disso, uniram-se a eles contra os proprietários fundiários, foi para destruir os últimos restos de feudalismo e para enfrentar um só inimigo. Os operários não se enganaram nos seus cálculos, porque os proprietários fundiários, vingando-se dos fabricantes, aliaram-se aos operários a fim de conseguir a aprovação da lei das dez horas, que estes vinham reclamando há trinta anos e que foi aprovada imediatamente após a abolição das leis sobre os cereais.

No congresso dos economistas, o Sr. Bowring tirou do bolso uma longa lista para mostrar a quantidade de carne bovina, presunto, toucinho, frangos etc. etc., importada pela Inglaterra para satisfazer, segundo ele, as necessidades dos operários; mas, lamentavelmente, esqueceu-se de acrescentar que, ao mesmo tempo, os operários de Manchester e de outras cidades fabris tinham sido postos na rua pela crise que começava.

Em princípio, em economia política, nunca se deve deduzir leis gerais à base de cifras referentes a um só ano. Deve-se sempre tomar a média de seis a sete anos – lapso de tempo durante o qual a indústria moderna passa pelas diferentes fases de prosperidade, de superprodução, de estagnação e de crise, no percurso do seu ciclo fatal.

Sem dúvida, se o preço de todas as mercadorias se reduz – e essa baixa é a consequência necessária do livre-comércio –, eu posso comprar por um franco muito mais coisas que antes. E o franco do operário vale tanto como qualquer outro. Portanto, o livre-comércio será muito vantajoso para o operário. Aqui, há somente um pequeno inconveniente: é que o operário, antes de trocar o seu franco por outras mercadorias, tem, primeiro, que trocar o seu trabalho contra o capital. Se, nessa troca, continuasse recebendo pelo mesmo trabalho o franco em questão e o preço de todas as demais mercadorias caíssem, sairia sempre ganhando numa transação como essa. A dificuldade não consiste em demonstrar que, caindo o preço de todas as mercadorias, pelo mesmo dinheiro eu poderia comprar mais.

Os economistas examinam sempre o preço do trabalho no momento em que ele se troca por outras mercadorias. Mas deixam, sempre, completamente de lado o momento em que o trabalho efetua a sua troca contra o capital.

Quando são necessários menos gastos para movimentar a máquina que produz as mercadorias, as coisas necessárias para manter esta máquina chamada operário são também mais baratas. Quando todas as mercadorias se tornam baratas, o trabalho, que também é uma mercadoria, cai igualmente de preço e, como veremos mais adiante, este trabalho-mercadoria, proporcionalmente, custará muito menos que as outras mercadorias. O trabalhador, sempre de acordo com a argumentação dos economistas, descobrirá que o franco derreteu-se na sua algibeira e que dele restam apenas cinco cêntimos.

Os economistas replicarão: Bem, suponhamos que a concorrência entre os operários, que certamente não diminuirá sob o regime de livre-comércio, logo colocará os salários em acordo com o baixo preço das mercadorias. Mas, por outra parte, a redução do preço das mercadorias aumentará o consumo; o maior consumo exigirá uma maior produção, que demandará uma maior procura de braços e a esta se seguirá uma elevação dos salários.

Toda essa argumentação resume-se no seguinte: o livre-comércio aumenta as forças produtivas. Se a indústria cresce, se a riqueza, se a capacidade produtiva, se, em uma palavra, o capital produtivo aumenta a procura de trabalho, o preço do trabalho aumenta e, por conseguinte, o salário sobe. A melhor condição para o operário é o crescimento do capital – temos que reconhecê-lo. Se o capital permanece estacionário, a indústria não apenas estacionará, mas entrará em declínio, e o operário será, nesse caso, a primeira vítima. E no caso em que o capital cresce, neste estado de coisas que considerarmos o melhor para o operário, qual a sua sorte? Sucumbirá igualmente. O crescimento do capital produtivo implica a acumulação e a concentração de capitais. A concentração de capitais conduz a uma maior divisão do trabalho e a um maior emprego de máquinas. Uma maior divisão do trabalho liquida a especialidade do trabalho e destrói a especialidade do trabalhador. E, substituindo-a por um trabalho que todo mundo pode fazer, aumenta a concorrência entre os operários.

Essa concorrência é tanto mais forte quanto a divisão do trabalho permite ao operário realizar sozinho o trabalho de três.

As máquinas produzem o mesmo resultado em uma escala muito maior. O crescimento do capital produtivo, forçando os capitalistas industriais a desenvolver suas empresas com meios cada vez maiores, arruína os pequenos industriais e os lança nas fileiras do proletariado. Ademais, como a taxa de juros diminui na medida em que se acumulam os capitais, os pequenos rentistas, que já não conseguem viver das suas rendas, são obrigados a se lançar na indústria, para em breve aumentar o número de proletários.

Enfim, quanto mais aumenta o capital produtivo, tanto mais ele é obrigado a produzir para um mercado cujas necessidades desconhece; tanto mais a produção precede o consumo, tanto mais a oferta tende a forçar a procura e, por consequência, as crises são cada vez mais intensas e frequentes. Mas toda crise, por sua vez, acelera a concentração de capitais e engrossa as fileiras do proletariado.

Assim, na medida em que o capital produtivo cresce, a concorrência entre os operários aumenta em proporção muito maior. A remuneração do trabalho diminui para todos e o seu peso aumenta para alguns.

Em 1829, em Manchester, havia 1.088 tecelões ocupados em 36 fábricas. Em 1841, restavam apenas 448 e esses operários faziam funcionar 53.353 fusos a mais que os 1.088 trabalhadores de 1829. Se o trabalho manual empregado tivesse aumentado proporcionalmente ao desenvolvimento das forças produtivas, o número de operários deveria alcançar a cifra de 1.848; por conseguinte, os aperfeiçoamentos introduzidos na mecânica deixaram 1.400 operários sem trabalho.

Conhecemos de antemão a resposta dos economistas. Esses desempregados, dizem eles, encontrarão outras ocupações. O Sr. Bowring não deixou de repetir esse argumento no congresso dos economistas, assim como não deixou de refutar-se a si mesmo.

Em 1835, ele pronunciou um discurso na Câmara dos Comuns, a propósito dos 50.000 tecelões de Londres que, há muito, morriam de fome sem encontrar essa nova ocupação que os *free-traders* lhes faziam entrever à distância.

Vamos citar as passagens mais marcantes desse discurso do Dr. Bowring:

> *A miséria dos tecelões manuais é o destino inevitável de todo trabalho que se aprende facilmente e que pode ser substituído a cada instante por meios menos dispendiosos. Como, neste caso, a concorrência entre os trabalhadores é extremamente grande, a mais ínfima redução da procura origina uma crise. Os tecelões manuais se encontram, de qualquer modo, situados nos limites da existência humana. Um passo a mais e sua sobrevivência será impossível. O menor golpe basta para condená-los à morte. O progresso da mecânica, ao suprimir cada vez mais o trabalho manual, acarreta, inevitavelmente, durante as épocas de transição, numerosos sofrimentos temporários. O bem-estar nacional só pode ser alcançado à custa de determinado número de calamidades individuais. Na indústria, só se progride a expensas dos fracassados; de todos os inventos, o tear a vapor é o que mais pesa sobre os tecelões manuais. Na produção de muitos artigos, que outrora eram feitos à mão, o tecelão*

*já foi totalmente substituído, e padecerá
da mesma sorte na produção de muitos
outros que ainda se fabricam à base do
trabalho manual.*

*Tenho aqui [diz ele mais adiante] uma
correspondência do governador geral com
a Companhia das Índias Orientais. Essa
correspondência refere-se aos tecelões do
distrito de Daca. Escreve o governador nas
suas cartas: Há muitos anos, a Companhia
das Índias Orientais comprava de seis
a oito milhões de peças de algodão,
fabricadas nos teares manuais do país. A
procura desceu de modo gradual, até ficar
reduzida aproximadamente a um milhão
de peças. Na atualidade, a procura cessou
quase por completo. Além disso, em 1800,
a América do Norte obteve na Índia cerca
de 800.000 peças de algodão. Em 1830,
não recebeu nem 4.000. Finalmente, em
1800 foram embarcadas para Portugal
1.000.000 de peças. Em 1830, Portugal
não recebeu mais que 20.000.*

*Os informes sobre as calamidades dos
tecelões hindus são terríveis. E qual é a
origem dessas calamidades? A presença de
produtos ingleses no mercado, a produção
do artigo por meio de teares a vapor. Um
grande número de tecelões morreu de
fome; o resto passou a outras ocupações
e, sobretudo, aos trabalhos agrícolas.
Não saber mudar de profissão equivale a
condenar-se à morte. E, neste momento, o
distrito de Daca vê-se invadido por tecidos
e fios ingleses. A musselina de Daca,
famosa em todo mundo por sua beleza e
firme tessitura, foi também eclipsada pela
concorrência das máquinas inglesas. Em
toda a história do comércio seria difícil,
talvez, encontrar sofrimentos
semelhantes aos que tiveram de*

253

suportar, assim, classes inteiras, nas
Índias Orientais.

O discurso do Sr. Bowring é tanto mais significativo quanto os fatos nele citados são exatos, e quanto às frases com que trata de dissimulá-los levam impressos o selo da hipocrisia comum a todos os sermões livre-cambistas. Ele apresenta os trabalhadores como meios de produção que é preciso substituir por outros mais baratos. Finge ver no tipo de trabalho de que trata um tipo completamente excepcional, e, na máquina que massacrou os tecelões, uma máquina igualmente excepcional. Esquece que não existe nem um só tipo de trabalho manual que não possa, de um dia para o outro, experimentar idêntica sorte à da tecelagem.

> *O fim constante e a tendência de todo aperfeiçoamento em mecânica é, com efeito, a substituição total do trabalho do homem ou a redução do seu preço, substituindo o trabalho do operário adulto pelo das mulheres e crianças, ou o do hábil artífice pelo do operário não qualificado. Na maior parte das fiações mecânicas [em inglês,* throstlemilss*], o trabalho é executado por mocinhas de dezesseis anos e até mais jovens. Como resultado da substituição da máquina ordinária de fiar pela máquina automática, a maior parte dos tecelões adultos foi despedida, só restando meninos e adolescentes.*

Essas palavras do livre-cambista mais apaixonado, o Dr. Ure, servem de complemento às confissões do Sr. Bowring. Ele fala de algumas calamidades individuais e diz, ao mesmo tempo, que elas fazem sucumbir classes inteiras; fala de sofrimentos passageiros em épocas de transição e, ao mesmo tempo, não oculta que tais sofrimentos passageiros significariam para a maioria a passagem da vida à morte e, para os restantes, da situação anterior para uma pior. Ao afirmar, mais adiante, que as desgraças dos operários são inseparáveis do progresso da indústria e necessárias ao bem-estar nacional, reconhece simplesmente que a infelicidade da classe trabalhadora é condição necessária ao bem-estar da classe burguesa.

Todo o consolo que o Sr. Bowring prodigaliza aos operários que sucumbem e, em geral, toda a doutrina de compensação que os *free-traders* formulam reduzem-se ao seguinte:

> *Vocês, milhares de trabalhadores que sucumbem, não devem desesperar. Podem morrer tranquilamente. A sua classe não desaparecerá. Será sempre suficientemente numerosa para que o capital possa dizimá-la, sem temor de liquidá-la totalmente. Ademais, como podem acreditar que o capital encontre emprego útil, se não se preocupar em garantir a matéria explorável, os operários, para explorá-los de novo?*

Mas, então, porque continuar falando, como de um problema, da influência que a realização do livre-comércio exercerá sobre a situação da classe trabalhadora? Todas as leis expostas pelos economistas, de Quesnay a Ricardo, baseiam-se na suposição de que os entraves que ainda cerceiam o livre-comércio deixaram de existir. Essas leis se confirmam na medida em que o livre-comércio se realiza.

A primeira dessas leis consiste em que a concorrência reduz o preço de toda mercadoria até o mínimo de seu custo de produção. Portanto, o mínimo do salário é o preço natural do trabalho. E o que é o mínimo do salário? É justamente aquilo de que se precisa para produzir os artigos indispensáveis ao sustento do operário, para que ele tenha condições de se alimentar bem ou mal e propagar, por pouco que seja, sua espécie.

Não tiremos daí a conclusão de que o operário não poderá receber mais que este mínimo de salário; não vamos crer, tampouco, que sempre receberá este mínimo.

Não. Segundo esta lei, a classe trabalhadora conhecerá, às vezes, momentos mais felizes. Haverá ocasiões em que receberá mais do que o mínimo; mas esse excedente não será mais do que o suplemento do que tiver recebido – menos do que o mínimo – durante os tempos de estagnação industrial. Isso quer dizer que, num determinado lapso de tempo, que é sempre periódico, no ciclo que a indústria percorre, passando pelas fases de prosperidade, de superprodução, de estagnação e de crise, a classe trabalhadora – se contarmos tudo o que recebe acima do necessário e tudo o que recebe de menos – não terá, em suma, nem mais nem menos do que o mínimo. Ou seja: a classe operária conservar-se-á como classe, apesar de todas as calamidades e misérias, apesar de todos os cadáveres deixados nos campos de batalha industrial. Mas o que importa? A classe subsiste e, melhor ainda, crescerá em número.

Mas não é tudo. O progresso da indústria produz meios de existência menos caros. Assim, a aguardente substituiu a cerveja, o algodão substituiu a lã e o linho, e a batata substituiu o pão.

Portanto, como se descobrem constantemente novos meios para alimentar o trabalho com artigos mais baratos e piores, o mínimo do salário diminui continuamente. Esse salário, que a princípio obrigava o homem a trabalhar para viver, terminou por fazer o homem viver uma vida de máquina. Sua existência não tem mais valor que o de uma simples força produtiva e o capitalista o trata como tal.

Essa lei do trabalho-mercadoria, lei do mínimo de salário, verificar-se-á na medida em que a suposição dos economistas, o livre-comércio, tornar-se um fato real e verdadeiro. Assim, pois, de duas, uma: ou devemos negar toda economia política, baseada no postulado do livre-comércio, ou teremos que convir que, sob este livre-comércio, os operários experimentarão todo rigor das leis econômicas.

Resumindo: no estado atual da sociedade, o que é o livre-comércio? É a liberdade do capital. Quando vocês fizerem desaparecer os poucos entraves nacionais que ainda obstaculizam a marcha do capital, apenas ter-lhe-ão concedido plena liberdade de ação. Por favoráveis que sejam as condições em que se faça a troca de uma mercadoria por outra, enquanto vocês deixarem subsistir as relações entre o trabalho assalariado e o capital, haverá sempre uma classe que explora e uma classe que é explorada. Em verdade, é difícil compreender a pretensão dos livre-cambistas, que imaginam que um emprego mais vantajoso do capital fará desaparecer o antagonismo entre capitalistas industriais e os trabalhadores assalariados. Pelo contrário, isso só pode provocar a expressão, ainda mais clara, da oposição entre essas duas classes.

Admitam, por um instante, que já não existam nem leis sobre os cereais, nem alfândegas, nem barreiras municipais; numa palavra: que desapareçam por completo todas as circunstâncias acidentais que o operário possa tomar, ainda, como causas de sua situação miserável. Vocês terão rasgado todos os véus que não lhes permitam ver o seu verdadeiro inimigo.

O operário verá, então, que o capital, livre de todos os entraves, não o torna menos escravo que o capital coagido pelas alfandegas.

Senhores, não deixem enganá-los[118] pela abstrata palavra *liberdade*. Liberdade de quem? Não é a liberdade de cada indivíduo em relação a outro indivíduo. É a liberdade do capital para massacrar o trabalhador.

Como vocês podem sancionar a livre concorrência pela ideia de liberdade, quando essa liberdade não é mais que o produto de um estado de coisas baseado na livre-concorrência?

Mostramos o gênero de fraternidade que o livre-comércio engendra entre as diferentes classes de uma só e mesma nação. A fraternidade que o livre-comércio estabeleceria entre as diferentes nações da Terra não seria mais fraternal. Designar pelo nome de fraternidade universal a exploração em seu estágio cosmopolita é uma ideia que só pode nascer no seio da burguesia. Todos os fenômenos destruidores suscitados pela livre concorrência no interior de um país reproduzem-se, em proporções mais gigantescas, no mercado mundial. Não precisamos nos deter por mais tempo nos sofismas que, a esse respeito, os livre-cambistas divulgam e que têm tanto valor quanto os argumentos dos nossos ilustres laureados, os Srs. Hope, Morse e Greg.

Dizem-nos, por exemplo, que o livre-comércio engendrará uma divisão internacional do trabalho determinando para cada país o gênero de produção que corresponda às suas vantagens naturais.

Talvez os senhores pensem que a produção de café e de açúcar é o destino natural das Índias Ocidentais.

Há dois séculos, a natureza, que tem muito pouco a ver com o comércio, não plantara ali nem o arbusto de café nem a cana-de-açúcar.

E não passará talvez meio século e já não encontrarão ali nem café nem açúcar, posto que as Índias Orientais, graças à sua produção menos onerosa, já disputam com vantagem, às Índias Ocidentais, o seu pretenso destino natural. E essas Índias Ocidentais, com seus dotes naturais, já são para os ingleses uma carga tão pesada quanto os tecelões de Daca, que também estavam, desde tempos imemoriais, destinados a tecer à mão.

Outra circunstância que não deve nunca ser perdida de vista: como tudo passou a ser monopólio, existem atualmente alguns ramos industriais que dominam todos os demais e asseguram aos povos que os controlam as rédeas do mercado mundial. Assim, por exemplo, no comércio internacional, o algodão tem mais valor comercial que todas as matérias-primas juntas empregadas na confecção de roupas. Com efeito, causa riso ver como os livre-cambistas escolhem alguns tipos especiais de produção em cada ramo industrial para colocá-los em relação aos produtos de uso comum, que se fabricam a preços mais baratos nos países onde a indústria alcançou maior desenvolvimento.

Não podemos nos espantar se os livre-cambistas são incapazes de compreender como um país pode enriquecer à custa de outro, pois esses mesmos senhores tampouco querem compreender como, no interior de um país, uma classe pode se enriquecer às expensas de outra.

Não acreditem, senhores, que, ao criticar a liberdade comercial tenhamos o propósito de defender o sistema protecionista.

É possível ser inimigo do regime constitucional sem ser partidário do velho regime.

Ademais, o sistema protecionista não é mais que um meio de estabelecer em um país a grande indústria, ou seja, de fazê-lo depender do mercado mundial. Mas, desde o momento em que se depende do mercado mundial, já se depende, mais ou menos, do livre-comércio. Também o sistema protecionista contribui para desenvolver a livre concorrência no interior do país. Por isso, vemos que, nos países em que a burguesia começa a se fazer valer como classe, na Alemanha, por exemplo, ela realiza grandes esforços para obter tarifas protetoras. Para ela, essas tarifas são armas contra o feudalismo e contra o governo absoluto; são, para ela, um meio de concentrar suas forças e de realizar o livre-comércio no interior do próprio país.

Mas, em geral, o sistema protecionista é, em nossos dias, conservador, enquanto o sistema de livre-comércio é destruidor. Dissolve as velhas nacionalidades e leva ao extremo o antagonismo entre a burguesia e o proletariado. Numa palavra, o sistema da liberdade do comércio acelera a revolução social. E só nesse sentido revolucionário que eu voto, senhores, a favor do livre-comércio.

Índice dos principais nomes citados

Arkwright, Richard (1732-1792): inventor da máquina de tecer conhecida pelo nome de *"mule jenny"*.

Bastiat, Frédéric (1801-1850): economista francês, campeão do liberalismo econômico; ele combateu vigorosamente em 1848 as teorias de Proudhon sobre os juros e sobre os bancos. Autor das *Harmonias econômicas*.

Blanqui, Adolphe (1805-1881): irmão de Auguste Blanqui, economista livre-cambista. Principais obras: *Resumo da história do comércio e da indústria* (1826); *História da economia política na Europa* (1838); *As classes operárias na França* (1848).

Boisguillebert, Pierre (1646-1714): economista francês, precursor dos fisiocratas. Com ele começa a economia política clássica na França.

Feurbach, Ludvig (1804-1872): filósofo alemão que passa do hegelianismo de esquerda para um materialismo do qual Marx e Engels posteriormente denunciarão as insuficiências e as tendências para um certo tipo de idealismo.

Fourier, François-Marie-Charles (1772-1835): socialista utópico francês; em suas obras ele realizou uma significativa crítica das consequências do capitalismo.

Gray, John (1798-1850): socialista utópico inglês, discípulo de Owen; ele queria resolver a questão social criando uma moeda-trabalho que serviria de base para a troca.

Grün, Karl (1813-1887): socialista alemão, autor de um livro sobre o *Movimento social na França e na Bélgica* (1845).

Hegel, Georg Wilhelm Friedrich (1770-1831): principal representante da filosofia clássica alemã e do idealismo objetivo; descobridor das leis da dialética.

Kant, Immanuel (1724-1804): célebre filósofo alemão. Em sua famosa obra, *Crítica da razão pura* (1781), Kant desenvolveu a tese segundo a qual a essência das coisas é impossível de ser conhecida, a ciência teria simplesmente por objeto as aparências sensíveis.

Malthus, Thomas-Robert (1766-1834): sacerdote e economista inglês, autor da teoria da superpopulação que servia para justificar a miséria das classes trabalhadoras.

Mill, James (1773-1836): filósofo, historiador e economista inglês.

Quesnay, François (1694-1774): médico e economista francês, um dos principais fundadores da economia política, principal nome da escola dos fisiocratas.

Ricardo, David (1772-1823): economista inglês, que pode ser considerado o fundador da escola clássica da economia política.

Rodbertus, Johann Karl (1805-1875): economista alemão, teórico do socialismo de Estado.

Saint-Simon, Claude-Henry (1760-1832): socialista francês, ele imaginava uma sociedade fundada sobre a organização industrial da produção, eliminando os ociosos, preocupado com o melhoramento da classe mais numerosa e mais pobre.

Say, Jean-Baptiste (1767-1825): economista francês que divulgou na França as doutrinas de Adam Smith.

Sismondi, Jean-Richard-Simon de (1773-1842): economista e historiador suíço.

Smith, Adam (1723-1790): economista e moralista inglês, fundador da escola de economia liberal, autor de *Riqueza das nações*.

Thiers, Adolphe (1826-1897): estadista francês que deixou a triste lembrança de ter sido o "carrasco da Comuna". Típico defensor da burguesia, autor do livro *Sobre a propriedade* (1848), ao qual Marx se refere.

Tolain, Henri-Louis (1828-1897): operário cinzelador, membro da Internacional desde o início. Eleito deputado nas eleições de 8 de fevereiro de 1871, tomou posição contra a Comuna na Assembleia.

Weitling, Wilhelm (1806-1871): teórico alemão do comunismo utópico; afundou-se no misticismo.

Notas

1 Quando, em 1948, as Éd. Sociales reeditaram Miséria da filosofia em sua coleção popular "Os elementos do comunismo", elas precederam o texto por uma introdução do filósofo Henri Mougin. Enfraquecido por uma doença contraída nos campos de prisioneiros na Alemanha, ele morreu pouco depois. Para nós, esse texto – excelente preparação para a leitura do livro de Marx – não envelheceu. Mediante um breve esclarecimento, ele aparece nas Obras Completas de Karl Marx.

2 Membro do partido socialista antes da guerra de 1914, anarcossindicalista, Lagardelle se tornou um ideólogo do corporativismo fascista.

3 MARX, K. Contribution à la critique de l'économie politique. Paris: Éd. Sociales, 1957, p. 38 [N. da rev. franc.].

4 Cf. o anexo n. 2 desta obra.

5 Pelo menos este era o caso ultimamente. Depois que a Inglaterra perdeu cada vez mais o monopólio do mercado mundial em consequência da participação da França, da Alemanha e principalmente da América no comércio internacional, uma nova forma de equilíbrio parece se estabelecer. O período de estabilidade que precede as crises nem sempre acontece; e se ele estava faltando, uma estagnação crônica, com ligeiras flutuações, se torna o estado normal da indústria moderna [N. de Engels].

6 Para o estabelecimento de nosso texto, seguimos a edição conhecida como MEGA (Marx-Engels Gesammtausgabe – Erst Abteilung. Band VI. Berlim, 1932), que reproduz a edição original, Paris/Bruxelas, 1847.

Entretanto, levamos em conta algumas correções e anotações acrescentadas por Engels para a 1ª edição alemã de 1885 e que é encontrada na reedição francesa de 1896. Marx escreveu Miséria da filosofia diretamente em francês: ele tinha um conhecimento extenso e preciso do francês. Entretanto, aqui e ali, o texto possui incorreções. Sem cair no pedantismo, e respeitando totalmente a formulação do autor, nós achamos por bem dar em nota, em alguns locais, uma versão mais conforme ao uso.

7 PROUDHON. Système des contractions ou Philosophie de la misère. Tomo I, cap. II.

8 PROUDHON. Op. cit., "Prólogo", p. 1.

9 SISMONDI. Études. Tomo II, p. 162 [ed. de Bruxelas].

10 LAUDERDALE. Recherches sur la nature de la richesse publique. Paris, 1808 [trad. Largentie de Lavaise].

11 RICARDO. "Sobre o valor e as riquezas". In: Principes d'économie politique. Tomo II. Paris, 1835 [trad. J.S. Constancio; anotado por J.-B. Say].

12 PROUDHON. Op. cit., tomo I, p. 39.

13 Ibid., p. 41.

14 Ibid.

15 Cours d'économie politique. Paris, p. 88, 99.

16 PROUDHON. Op. cit., tomo I, p. 19, 50.

17 Ibid., p. 68.

18 RICARDO. Principes de l'économie politique. Tomo I. Paris, 1939, p. 3 [trad. J.S. Constancio].

19 Ibid., p. 4-5.

20 Ibid., p. 5.

21 Ibid.

22 Ibid., p. 8.

23 Ibid.

24 Ibid., p. 9-10.

25 Ibid., p. 21.

26 À margem, Engels escreve: "Em Ricardo, o valor relativo é o valor expresso em numerário".

27 RICARDO. Op. cit., tomo I, p. 28.

28 Sabe-se que, para Ricardo, o valor de uma mercadoria é determinado pela "quantidade de trabalho necessária para obtê-la". Ora, o modo de troca que predomina em toda forma de produção baseada na mercadoria – logo, também no sistema capitalista – implica que este valor não seja expresso diretamente por uma certa mercadoria (dinheiro ou não); é o que Ricardo denomina seu valor relativo [N. de Engels para a ed. de 1885).

29 RICARDO. Op. cit., tomo I, p. 32.

30 Ibid., p. 195.

31 Ibid., tomo II, p. 253.

32 Ibid., tomo III, p. 259.

33 Ibid., tomo I, p. 253.

34 A fórmula de que o preço "natural" – ou seja, normal – da força de trabalho coincide com o salário mínimo, isto é, com o valor de troca dos meios de subsistência absolutamente necessários à vida e à reprodução do operário, eu a formulei pela primeira vez no "esboço" de uma *Crítica da economia política* (anais franco-alemães, 1844) e em *A situação da classe trabalhadora na Inglaterra*. Como se vê, Marx a adotou e, posteriormente, Lassalle tomou-a de nós. Mas, mesmo que, na realidade, o salário tenda a se aproximar constantemente do seu mínimo, esta tese não é exata. É verdade que, em geral e em média, a força de trabalho é paga abaixo do seu valor; no entanto, isso não altera seu valor. Em O capital, Marx corrigiu essa fórmula (seção "Compra e venda da força de trabalho"), analisando as condições que permitem a produção capitalista reduzir progressivamente o preço da força de trabalho, pagando-a abaixo do seu valor (cap. XXXIII, "A lei geral da acumulação capitalista") [N. de Engels para a ed. de 1885].

35 PROUDHON. Op. cit., tomo I, p. 61, 188.

36 *"E, para viver, sacrificar as suas razões de viver."*

37 RICARDO. Op. cit., tomo I, p. 105, 108.

38 Ibid., tomo II, p. 59.

39 SISMONDI. Op. cit., tomo II, p. 287.

40 BOISGUILLEBERT. *Dissertation sur la nature des richesses*. Éd. Daire.

41 ATKINSON, W. *Principless of Political Economy*. Londres, 1840, p. 170, 195.

42 "Troia já não existe!"

43 "Para produzir" [N. da rev. franc.].

44 Cf. no *"Prefacio à 2ª edição alemã"* [N. da rev. franc.].

45 Ibid.

46 BRAY. *Labour's Wrongs and Labour's Remedy*. Leeds, 1839, p. 17, 41.

47 Ibid., p. 33, 36, 37.

48 Ibid., p. 45, 48, 49, 50.

49 Ibid., p. 51, 52, 53, 55.

50 Ibid., p. 67, 88, 89, 94, 109.

51 Ibid., p. 134.

52 Ibid., p. 158, 160, 162, 168, 194, 199.

53 Como qualquer teoria, a do Sr. Bray encontrou seus partidários, que se deixaram enganar pelas aparências. Em Londres, Sheffild, Leeds e em muitas outras cidades inglesas criaram-se *equitable-labour-exchange-bazars*. Essas lojas, depois de absorverem enormes capitais, faliram escandalosamente. As pessoas decepcionaram-se definitivamente com elas: este é um aviso para o Sr. Proudhon! [N. de Marx].

54 Sabemos que Proudhon não levou em conta este aviso. Em 1848, ele tentou abrir um novo banco de troca em Paris. Mas faliu antes mesmo de começar. Ações judiciárias foram feitas contra Proudhon logo em seguida a essa falência [N. de Engels para a ed. de 1886].

55 VOLTAIRE. *Système of Law.*

56 RICARDO. Op. cit.

57 Ibid.

58 BOISGUILLEBERT. *Économistes financiers du XVIIIª siècle.* Éd. Daire, p. 422.

59 PROUDHON. Op. cit., tomo I, p. 81.

60 *Encyclopaedia Metropolitan or Universal Dictionary of Knowledge.* Vol. IV. Verbete Political Economy, de Senior. Londres, 1836 (sobre essa expressão, cf. tb. MILL, J.St. *Essays on some unsettled Questions of Political Economy.* Londres, 1844. • TOOKE. *An History of Prices...* Londres, 1838).

61 PROUDHON. Op. cit.

62 COOPER, T. *Lectures on the Elements of Political Economy.* Columbia, 1826.

63 SADLER, T. *The Law of Population.* Londres, 1830.

64 PROUDHON. Op. cit.

65 RICARDO. Op. cit.

66 PROUDHON. Op. cit., tomo I, p. 146.

67 Para "[...] individualidade de uma casa" [N. da rev. franc.].

68 HEGEL. *Lógica.* Tomo III.

69 Isso era perfeitamente exato no ano de 1847. Então o comércio dos Estados Unidos com o mundo se limitava, principalmente, à importação de emigrantes e de artigos industriais e à exportação de algodão e tabaco, ou seja, produtos do trabalho dos escravos do sul. O norte produzia, sobretudo, trigo e carne para as nações escravagistas. A abolição da escravatura só foi possível quando o norte começou a produzir trigo e carne para a exportação ao mesmo tempo em que se industrializava e quando o monopólio algodoeiro norte-americano começou a sofrer forte concorrência da Índia, do Egito, do Brasil etc. A consequência da abolição foi a ruína do sul, que não conseguiu substituir a escravidão aberta dos negros pela escravidão camuflada dos *coolies* chineses e hindus [N. de Engels para a ed. de 1885].

70 PROUDHON. Op. cit., tomo II, p. 97.

71 Ibid., p. 102.

72 Ibid., tomo I, p. 133.

73 "A cada um o que lhe pertence" [N. da rev. franc.].

74 LEMONTEY. *Obras completas*. Tomo I. Paris, 1840, p. 245.

75 FERGUSSON, A. *Ensaio sobre a história da sociedade civil*. Paris, 1783.

76 PROUDHON. Op. cit., tomo I, p. 97.

77 "O que era necessário demonstrar" [N. da rev. franc.].

78 Aprendiz maçon [N. da rev. franc.].

79 BABBAGE. *Tratado sobre a economia das máquinas...* Paris, 1833.

80 URE, A. *Filosofia das manufaturas ou economia industrial*. Tomo I, cap. 1.

81 "Nos países infiéis" [N. da rev. franc.].

82 PROUDHON. Op. cit., tomo II, p. 265.

83 Ibid., p. 265.

84 "Horror ao vazio" [N. da rev. franc.].

85 PROUDHON. Op. cit., tomo II, p. 265.

86 Cf. Petty, economista inglês do tempo de Carlos II.

87 PROUDHON. Op. cit., tomo I, p. 110, 111.

88 Ibid., p. 261, 262.

89 Ibid., p. 234, 235.

90 Ou seja, os socialistas da época, adeptos de Fourier na França, de Owen na Inglaterra [N. de Engels para a ed. de 1885].

91 Estado, no sentido histórico em que eles existiam na época feudal, ou seja, estados que desfrutavam de privilégios precisos e bem delimitados. A revolução burguesa aboliu esses estados e, ao mesmo tempo, os seus privilégios. A sociedade burguesa só conhece classes. Portanto, é uma contradição histórica designar o proletariado sob o nome de "quarto estado" [N. de Engels para a ed. de 1885].

92 Esta carta foi publicada originalmente no jornal alemão *Social-Demokrat*, nos n. 16, 17 e 18, respectivamente em 01, 03 e 05/02/1865 [N. da rev. franc.].

93 Propriedade.

94 Claro-escuro.

95 Essas duas palavras estão em inglês no texto: *sensational pamphlet*.

96 Pequeno-burguês.

97 VARVILLE, B. *Pesquisa sobre o direito de propriedade e sobre o roubo...* Berlim, 1782.

98 "Aguardo sua crítica implacável".

99 "Dizendo que as relações atuais – as relações da produção burguesa – são naturais, os economistas dão a entender que essas são as relações nas quais se cria a riqueza e se desenvolvem as forças produtivas sob leis naturais independentes da influência do tempo. Estas seriam leis eternas que devem sempre reger a sociedade."

100 Pequenos-burgueses.

101 Empolado.

102 "Quer-se que os infelizes sejam perfeitos."

103 MARX, K. *Contribuition à la critique de l'économie politique*. Paris: Sociales, 1957, p. 39-49.

104 Pura e simplesmente.

105 Extraído de MARX, K. *Contribuition à la critique de l'économie politique*. Op. cit., p. 55-58.

106 GRAY, J. The Social System – A Treatise on the Principle of Exchange. Edimburgo, 1831. Cf. tb. do mesmo autor: *Lectures on the Nature and Use of Money*. Edimburgo, 1848. Após a revolução de fevereiro, Gray enviou ao governo provisório francês um relatório onde afirmava que a França não carecia de uma organização do trabalho (*organization of labour*), mas de uma organização de troca (*organization of exchange*), cujo plano estava inteiramente elaborado no sistema monetário que concebera. O valente John não poderia imaginar que, dezesseis anos depois da publicação do seu *The Social System*, o muito inventivo Proudhon patentearia a mesma descoberta.

107 GRAY. *The Social System...* Op. cit., p. 63: "O dinheiro deveria ser, apenas, um recibo, o certificado de que seu detentor contribuiu, com um valor determinado, para a riqueza nacional existente, ou de que ele adquiriu o direito deste valor de outro que já fizera a mesma contribuição".

108 Ibid., p. 67-68: "Quando um determinado valor estiver materializado no produto, este pode ser depositado no banco e retirado logo que houver necessidade, simplesmente estipulando, por uma convenção geral, que quem depositou um bem qualquer no banco nacional projetado pode retirar um valor igual de qualquer produto, sem estar obrigado a retirar o mesmo objeto que depositou".

109 Ibid., p. 16.

110 GRAY. *Lectures on Money...* Op. cit., p. 182.

111 Ibid., p. 169.

112 GRAY. *The Social System...* Op. cit., p. 171: "Os negócios de cada país devem ser conduzidos por um capital nacional".

113 Ibid., p. 298: "A terra deve ser transformada em propriedade nacional".

114 Cf., p. ex., THOMPSON, W. *An Inquiry into the Distribution of Wealth...* Londres, 1827. • BRAY. Labour's Wrongs and Labour's Remedy. Leeds, 1839.

115 Podemos considerar como a quintessência desta melodramática teoria o livro de DARIMON, A. *De la Réforme des Banques*. Paris, 1856.

116 Esse discurso, pronunciado na sessão pública de 07/01/1848 na Associação Democrática de Bruxelas, está conforme o texto da brochura original publicada em Bruxelas pela própria Associação.

117 Aqui, assim como na continuação deste texto, Marx designa por "leis cereais" as "leis sobre os cereais" [N. da rev. franc.].

118 Marx tinha escrito: "[...] não vos deixem enganar" [N. da rev. franc.].

Vozes de Bolso

- *Assim falava Zaratustra* – Friedrich Nietzsche
- *O Príncipe* – Nicolau Maquiavel
- *Confissões* – Santo Agostinho
- *Brasil: nunca mais* – Mitra Arquidiocesana de São Paulo
- *A arte da guerra* – Sun Tzu
- *O conceito de angústia* – Søren Aabye Kierkegaard
- *Manifesto do Partido Comunista* – Friedrich Engels e Karl Marx
- *Imitação de Cristo* – Tomás de Kempis
- *O homem à procura de si mesmo* – Rollo May
- *O existencialismo é um humanismo* – Jean-Paul Sartre
- *Além do bem e do mal* – Friedrich Nietzsche
- *O abolicionismo* – Joaquim Nabuco
- *Filoteia* – São Francisco de Sales
- *Jesus Cristo Libertador* – Leonardo Boff
- *A Cidade de Deus – Parte I* – Santo Agostinho
- *A Cidade de Deus – Parte II* – Santo Agostinho
- *O conceito de ironia constantemente referido a Sócrates* – Søren
  Aabye Kierkegaard
- *Tratado sobre a clemência* – Sêneca
- *O ente e a essência* – Santo Tomás de Aquino
- *Sobre a potencialidade da alma – De quantitate animae* – Santo
  Agostinho
- *Sobre a vida feliz* – Santo Agostinho
- *Contra os acadêmicos* – Santo Agostinho
- *A Cidade do Sol* – Tommaso Campanella
- *Crepúsculo dos ídolos ou Como se filosofa com o martelo* –
  Friedrich Nietzsche
- *A essência da filosofia* – Wilhelm Dilthey
- *Elogio da loucura* – Erasmo de Roterdã
- *Linguagem corporal em 30 minutos* – Monika Matschnig
- *Utopia* – Thomas Morus
- *Do contrato social* – Jean-Jacques Rousseau
- *Discurso sobre a economia política* – Jean-Jacques Rousseau
- *Vontade de potência* – Friedrich Nietzsche
- *A genealogia da moral* – Friedrich Nietzsche
- *O Banquete* – Platão
- *Os pensadores originários* – Anaximandro, Parmênides, Heráclito
- *A arte de ter razão* – Arthur Schopenhauer
- *Discurso sobre o método* – René Descartes
- *Que é isto – A filosofia?* – Martin Heidegger
- *Identidade e diferença* – Martin Heidegger
- *Sobre a mentira* – Santo Agostinho
- *Da arte da guerra* – Nicolau Maquiavel
- *Os Direitos do Homem* – Thomas Paine

- *Sobre a liberdade* – John Stuart Mill
- *Defensor menor* – Marsílio de Pádua
- *Tratado sobre o regime e o governo da cidade de Florença* – J. Savonarola
- *Primeiros princípios metafísicos da Doutrina do Direito* – Immanuel Kant
- *Carta sobre a tolerância* – John Locke
- *A desobediência civil* – Henry David Thoureau
- *A ideologia alemã* – Karl Marx e Friedrich Engels
- *O conspirador* – Nicolau Maquiavel
- *Discurso de metafísica* – Gottfried Wilhelm Leibniz
- *Segundo Tratado sobre o governo civil e outros escritos* – John Locke
- *Miséria da filosofia* – Karl Marx
- *Escritos seletos* – Martinho Lutero
- *Escritos seletos* – João Calvino
- *Que é a literatura?* – Jean-Paul Sartre
- *Dos delitos e das penas* – Cesare Beccaria

LEIA TAMBÉM:

Filosofia: e nós com isso?

Mario Sergio Cortella

A principal contribuição da Filosofia é criar obstáculos, de modo a impedir que as pessoas fiquem prisioneiras do óbvio, isto é, que circunscrevam a sua existência dentro de limites estreitos, de horizontes indigentes e de esperanças delirantes.

A Filosofia não é a única que pode dificultar a nossa mediocrização, mas é aquela que tem impacto mais significativo nessa empreitada, pois requer um pensamento e uma reflexão que ultrapassem as bordas do evidente e introduzam alguma suspeita naquilo que vivemos e acreditamos. Em outras palavras, a Filosofia estende a nossa consciência e fortalece nossa autonomia.

Toda dimensão reflexiva precisa ser radical, ou seja, lançar raízes profundas e escapar da superficialidade.

A Filosofia, quando sistemática e não dogmática, nos oferece algumas ferramentas mentais para procurar mais precisão no foco de uma existência que, mesmo que finita, não precisa ser vulgar e parasitária; ela implica aprofundar as "razões" e os "senões" daquilo que, ao mesmo tempo, se deseja e se percebe viável.

Mais do que uma Filosofia do cotidiano seria uma Filosofia no cotidiano! Isto é, a presença da indagação filosófica sobre temas da nossa vivência de agora, iluminados pela história do pensamento, mas sem mergulhar em meras abstrações eruditas, com simplicidade (sem ser simplória) e com compreensibilidade (sem ser superficial).

Mario Sergio Cortella, nascido em Londrina/PR em 05/03/1954, filósofo e escritor, com mestrado e doutorado em Educação, professor-titular da PUC-SP (na qual atuou por 35 anos, 1977/2012), com docência e pesquisa na Pós-Graduação em Educação: Currículo (1997/2012) e no Departamento de Teologia e Ciências da Religião (1977/2007); é professor-convidado da Fundação Dom Cabral (desde 1997) e ensinou no GVpec da FGV-SP (1998/2010). Foi secretário municipal de Educação de São Paulo (1991-1992). É autor de mais de 35 livros com edições no Brasil e no exterior, entre eles, pela Vozes, *Não espere pelo epitáfio!*; *Não nascemos prontos!*; *Não se desespere!*; *Filosofia e Ensino Médio: certas razões, alguns senões, uma proposta*; *Pensar bem nos faz bem!* (4 volumes); *Felicidade foi-se embora?* (com Frei Betto e Leonardo Boff) e *Qual é a tua obra?: inquietações propositivas sobre gestão, liderança e ética*.